La Librairie des.
Insomniaques

Lyne Gareau

# La Librairie des Insomniaques

ROMAN

Les Éditions du Blé
Saint-Boniface (Manitoba)

Nous remercions le Conseil des arts du Canada et le Conseil des arts du Manitoba de l'aide accordée à notre programme de publication.

Nous reconnaissons l'appui financier de la Direction des arts de Sport, Culture et Patrimoine de la province du Manitoba.

Soutien financier pour l'écriture du roman :

Illustration, maquette de couverture et mise en page : Philippe Dupas, Appeal Graphics Inc.

Les Éditions du Blé
   340, boulevard Provencher
   Saint-Boniface (Manitoba) R2H 0G7
   http://ble.avoslivres.ca

Distribution en librairie : Diffusion Dimedia, St-Laurent (Québec)

Catalogage avant publication de Bibliothèque et Archives Canada

Gareau, Lyne, 1956-, auteur
   La Librairie des Insomniaques / Lyne Gareau.

Publié en formats imprimé(s) et électronique(s).
ISBN 978-2-924378-70-0 (couverture souple). – ISBN 978-2-924378-71-7 (PDF).--ISBN 978-2-924378-72-4 (EPUB)

   I. Titre.

PS8613.A7535L53 2017      C843'.6      C2017-905029-X
                                   C2017-905030-3

**Remerciements de l'auteure :**

Je tiens à remercier Isabelle Dumas, pour sa lecture attentive et les heures de discussions animées qui ont suivi. Alex, Frank et les autres font dorénavant partie des amis et des souvenirs que nous partageons.

Merci à Susie Gareau, pour son aide généreuse et ses suggestions tout à fait à propos.

Merci à Danielle Marcotte et Annie Bourret, pour leur enthousiasme et leurs encouragements au tout début de ce projet.

Je remercie également le Conseil des Arts de la Colombie-Britannique qui m'a accordé un soutien financier.

Et finalement, je remercie chaleureusement toute l'équipe des Éditions du Blé.

À Isabelle

Depuis quand habitait-il ce petit appartement sans âme de la rue Broadway ? Il avait oublié. Et d'ailleurs, quelle importance ?

Il ne fréquentait plus les Festivals Fringe, ne faisait plus de voyages en Turquie ou au Sri Lanka, ne possédait ni radio, ni ordinateur, ni téléphone, ne parlait à personne sauf aux clients avec qui il faisait affaire, ne visitait plus les bazars à la recherche d'objets uniques et curieux, n'achetait plus bio, ne signait plus de pétitions en ligne, ne votait plus, n'allait plus au musée.

Il ne se permettait maintenant que le beige et le brun. Invariablement habillé d'un pantalon bon marché au pli impeccable et d'une chemise puce, il circulait dans la ville, passant inaperçu. Jadis, il s'était pourtant beaucoup amusé à courir les brocantes, à choisir avec soin des vêtements d'occasion intéressants et originaux. Or, par un soir de pleine lune, il avait abandonné cette garde-robe entière, comme une peau de serpent, dans des sacs à poubelle derrière l'édifice de l'Armée du Salut.

Il avait cessé de créer les repas joyeux, colorés et savoureux auxquels il avait convié chaque semaine des dizaines d'amis, tous des gens intéressants qui jouaient à la conversation comme aux échecs. Il habitait alors un loft du Chinatown surmonté d'une immense verrière qui s'ouvrait sur le ciel de la nuit urbaine; un univers étoilé devant lequel lesdits invités ne manquaient jamais de s'extasier, tout en points d'exclamation. Et puis. Soudain. Il avait tout vendu, distribué au hasard les œuvres d'art acquises lors de ses voyages. Il avait loué un logement d'une pièce au rez-de-chaussée d'un édifice de type boite à chaussures sur une rue parfumée à l'automobile et l'avait meublé en une seule visite dans une grande chaine d'ameublement suédois, avant de se défaire de sa voiture.

Après avoir émerveillé des centaines d'élèves au fil des ans, il avait quitté son emploi d'instituteur de maternelle. Un beau vendredi, le prof prestidigitateur qu'il était avait abandonné son chapeau haut de forme sur une petite chaise de plastique orange, près du bac de pâte à modeler, pour devenir caissier dans une banque. Parfois, entre deux clients, il avait le temps de relever la tête et de prendre un moment pour regarder passer les voitures par les portes vitrées. Il ne lui restait plus de son ancien personnage que le prénom quelque peu ronflant d'Alexandre dont l'avaient affublé ses parents. Il aurait aimé changer de nom, et hésitait toujours entre Robert et Bob.

Alexandre s'était réfugié dans l'ordinaire comme dans un cocon et il vivait ce choix d'ermitage avec sérénité. Sa vie entière se résumait désormais à un enclos de béton urbain, délimité par la banque, le logis et un supermarché situé au sous-sol d'un immeuble de bureaux. De sa vie d'autrefois, une seule chose lui manquait : les librairies de quartier. Et il n'y avait pas renoncé par choix. Les petites librairies sympathiques s'étaient éteintes les unes après les autres pour céder la place à de vastes supermarchés de livres éclairés au néon où le consommateur peut se procurer le dernier ouvrage à succès, un ourson en peluche, une lampe de poche ou une tablette de chocolat. Puis, même ces grandes boites s'étaient faites rares.

\*\*\*

Tout juste comme il avait atteint l'état de banalité ultime auquel il aspirait, Alexandre se mit inexplicablement à faire de l'insomnie. Il n'arrivait pas à dormir plus de trois ou quatre heures de suite. Il accepta cependant cet état de choses avec détachement et occupa ses heures de veille à méditer sur le tapis élimé de son appartement, devant ses armoires de faux bois. Il vivait ensuite ses journées en automate.

Par une étouffante nuit du mois de septembre, il s'éveilla encore plus tôt que d'habitude, vers minuit. Après avoir rejeté le drap et examiné pendant une bonne heure les taches de moisissure du plafond, il s'accorda le droit de quitter l'appartement. Il revêtit son uniforme beige et sortit.

Il resta un moment sur le pas de la porte à contempler ce milieu merveilleusement stérile. C'était un quartier de banques, d'immeubles de bureaux, de casse-croutes n'offrant que le repas du midi. Un désert de métal et de béton où personne ne se baladait la nuit. Il était seul dans son aquarium. À tout hasard, il se dirigea vers l'ouest.

Soudain, Alexandre se fit la réflexion qu'il aimerait bien rencontrer... un chat. Il n'en avait pourtant pas possédé depuis les années où, étudiant, il avait partagé des logements avec d'autres jeunes parmi lesquels se glissait parfois un félin. Il y avait eu ce chat roux aux yeux ambre qui venait s'allonger sur sa poitrine lorsqu'il écoutait de la musique en fumant un joint. Le chat ronronnait tranquillement, comme on respire, en le fixant droit dans les yeux. Tiens, il n'avait pas repensé à Ilpo depuis au moins vingt ans.

Justement, comme il déambulait devant une école de secrétariat à l'enseigne désuète, il crut voir une ombre trotter vers une arrière-cour. Sans hésiter, Alexandre la suivit; car il s'agissait bel et bien d'un chat, un chat gris qui l'entraina de ruelle en ruelle puis s'éclipsa.

*\*\**

Il se trouvait maintenant dans un quartier inconnu : lampadaires, chargeurs électroniques, rues à angles droits, gratte-ciels en veilleuse... tout était pareil et pourtant subtilement différent. Et la nuit avait une nouvelle saveur. Indéfinissable. Alexandre emprunta aléatoirement une rue résidentielle et, sous un édifice quelconque, il repéra l'escalier en colimaçon qui menait à un sous-sol éclairé. Il entendit quelqu'un murmurer, des pas feutrés. Des ombres se dirigeaient vers l'escalier : des piétons venus on ne sait d'où.

Intrigué, il descendit à son tour, puis ouvrit la porte vitrée.

Tintement de clochettes.

Alexandre se retrouva ainsi dans une petite librairie à l'aspect vieillot, semblable à celles qu'il fréquentait à l'époque du chat Ilpo. Bonheur ! D'un seul coup d'œil, il embrassa la poussière dorée, les lampes un peu bancales coiffées d'abat-jours dépareillés, les étagères de bois blond, les planchers certainement craquants et surtout les centaines de livres classés en catégories telles « Contrastes », « Livres pour enfants adultes », « Merveilles sous-estimées », « Chansons imagées » ou « Poésie pratique ».

Alexandre pensa fugitivement aux dessins d'Escher : dans un coin de la librairie se trouvait une petite mezzanine à laquelle on pouvait accéder par deux escaliers tordus. Tout en haut lisait une jeune fille assise en tailleur, comme une magnifique bouddha à la toison rousse.

Plus près de lui, au comptoir, une femme discutait avec le libraire.

— Françoise a dit que j'aimerais.

— Oui, mais elle n'est pas musicienne comme toi. Et puis, si tu as su apprécier *Fumées maléfiques*... Allez, suis-moi. J'ai quelque chose d'autre pour toi.

Alexandre arrêta son regard sur la chevelure noire et brillante de la femme. Elle descendait sagement sur ses épaules. De dos, il ne pouvait voir son visage, mais l'imagina aussitôt du type « très jeune pianiste classique ». Traits fins, regard limpide, jolis sourcils arqués, air ingénu. Il fut

13

donc surpris lorsqu'elle se retourna vers lui pour suivre le propriétaire. Elle approchait certainement la quarantaine. Avec sa figure ronde, son nez un peu épaté, ses joues rouges, ses yeux noisette, elle lui sembla d'abord être Autochtone. Alexandre changea immédiatement d'idée : elle devait plutôt être Mexicaine. Non, Marocaine ! Berbère. Espagnole ? Il ne savait plus. Peut-être était-elle tout cela à la fois.

En passant devant lui, la femme le regarda droit dans les yeux et son visage s'illumina d'un sourire sincère. Pris par surprise, il n'eut pas le temps de répondre ou de réagir : ce sourire exprimait tant de choses. Elle l'avait vu, lui. Non pas le bel excentrique du passé ni le terne commis de banque de cinquante ans, mais lui, Alexandre, son essence même. L'espace d'un sourire, elle lui avait tendu le bras et l'avait retiré de la mare glauque où il hibernait.

Le temps de se secouer, de s'ébrouer, de jeter un dernier regard à la jolie librairie démodée, il sortit au pas de course en se disant qu'il reviendrait dès le lendemain.

Comme un somnambule, il retrouva instinctivement son appartement, se glissa tout habillé dans son lit et s'endormit aussitôt. Tout en rivières, son cœur chantait.

*\*\**

Lorsque Alexandre se réveilla trois heures plus tard, complètement reposé, son cœur chantait toujours.

Le moindre geste lui parut festif. Comme tous les jours, il avala un petit déjeuner composé de gruau et de fruits en conserve accompagnés d'une tasse d'eau bouillante. Comme tous les jours, il se lava soigneusement à la débarbouillette, emballa son repas du midi, un nouveau type de poisson à l'huile avec quelques biscottes, se rendit au travail à pied.

Le sourire de la femme continuait à illuminer chaque détail, chaque geste du quotidien. Les dessins formés par les lézardes dans les trottoirs lui parurent soudain d'une incommensurable beauté. Comment n'avait-il jamais remarqué auparavant ces motifs extraordinaires créés au hasard des chocs et des intempéries ? Il eut le réflexe de partager cette observation avec un autre piéton; cependant, lorsqu'il releva la tête, la majorité des gens qui se déplaçaient autour de lui avaient le regard rivé sur les écrans qu'ils tenaient au creux de la main ou accrochés sur une petite perche devant eux. Personne ici ne s'émerveillerait de la grâce d'une crevasse qui se faufile sur les trottoirs.

Ce jour-là, il ne parvint pas à s'anesthésier d'ennui au travail. Il fit ce qu'on lui dit, compta les billets de banque virtuels, aligna des quantités vertigineuses de chiffres et de dollars, prépara le café sans jamais cesser de rêver à la librairie où l'avait amené le chat gris de la nuit précédente et surtout au sourire sans artifice de la femme inconnue.

Sur le chemin du retour, il fut à nouveau fasciné par les fissures secrètes de la ville et put à peine résister à la tentation d'entrer dans une papèterie pour se procurer une plume, de l'encre et un bloc-notes. Il aurait tellement aimé les reproduire sur papier, dessiner pendant quelques heures. Mais il ne voulait pas se le permettre. Il avait choisi de sacrifier toute forme d'expression artistique. Il passa donc la soirée sur sa chaise de métal, à attendre que le moment de sortir soit venu. Il sentait obscurément que la librairie ne pouvait ouvrir que la nuit.

Vers minuit, il quitta enfin l'appartement et emprunta une enfilade de rues toutes pareilles les unes aux autres. Il avait besoin d'un guide. Où était donc Chat-gris ? Il crut voir une ombre, se lança. L'ombre s'évanouit. Il fit un grand effort pour se souvenir. Était-ce cette ruelle ? Oui, peut-être. À force de chercher à retrouver des indices dans cette forêt d'édifices austères, il se perdit encore plus et dut finalement se rendre à l'évidence : il ne savait même plus où il se trouvait.

Un taxi tournait le coin de la rue. Une voiture autonome. Il la héla sans succès puis se lança à sa poursuite, un peu comme un naufragé qui suivrait un paquebot à la nage. Peine perdue, le taxi s'éloigna en sifflant dans la nuit.

Alexandre s'appuya contre un lampadaire puis s'assit par terre pour attendre le lever du soleil. Dans son dos, le grésillement du réverbère comme une vie secrète. Il résista avec difficulté à l'envie de se relever et de l'étreindre en sanglotant.

À ce moment précis, une autre automobile s'immobilisa devant lui. Au volant, un chauffeur de taxi, en chair et en os, lui faisait signe. Malgré l'obscurité, Alexandre constata qu'il portait le turban. Il ouvrit la portière et s'installa sur le siège arrière. Une musique indienne envoutante jouait à la radio. Le conducteur se retourna vers lui et le salua de la tête. Puis, il allongea le bras vers le bouton du poste en s'excusant pour la musique. Alexandre ne put s'empêcher de réagir. Dans certains cas, la parole était inévitable.

— Non ! Ne l'éteignez pas. J'aime beaucoup cette musique.

— Ce sont des prières, répondit tout simplement l'homme.

Puis il sourit. Il semblait heureux qu'Alexandre apprécie.

— Où allez-vous ?

Saisi d'une inspiration subite, Alexandre s'exclama :

— Savez-vous où se trouve la Librairie du Chat-Gris ?

Il fallait bien lui donner un nom, à cette mystérieuse librairie.

— Non. Je regrette. Ça ne me dit rien.

— Je ne suis pas certain du nom, je l'ai appelée ainsi parce que je l'ai découverte en suivant un chat gris. La nuit.

La musique jouait toujours, paisible. Alexandre décrivit la librairie et conclut, un peu tristement.

— Je ne vais pas pouvoir la retrouver. Quel dommage.

— Je vais m'informer. Voici ma carte. Je travaille à mon propre compte. Téléphonez-moi dans quelques jours. En attendant, je vous ramène chez vous ?

— Oui, bien sûr. Merci.

Et il donna son adresse au conducteur.

— Ça vous dirait de prendre une route plus jolie et plus longue ? Je n'ai pas d'autres clients et je voudrais écouter les prières en compagnie de quelqu'un. Je vous demanderai le prix du chemin le plus court, bien entendu.

Alexandre acquiesça et, lentement, ils empruntèrent un trajet qui les amena au bord de l'eau et dans de grandes avenues désertes. Pour la deuxième fois cette nuit, Alexandre n'avait aucune idée de l'endroit où il se trouvait, mais, cette fois-ci, il ne s'en souciait pas. À la radio, le chant se déroulait toujours, comme une longue algue qui l'enveloppait de douceur. Il ne comprenait pas les mots, mais l'émotion le rejoignait profondément.

Il ouvrit plus grand la fenêtre pour sentir la brise et mieux regarder le ciel noir qui absorbait, silencieux, toutes les lumières de la ville. Alexandre ressentit alors un sentiment de plénitude comme il en avait rarement vécu. La présence de la voute céleste, la musique et l'air frais sur sa figure le comblaient entièrement. Il s'assoupit, bercé par les mystérieuses prières, comme dans un hamac.

À l'aube, le chauffeur de taxi le déposa sur le seuil de son appartement en forme de boite. Il y emportait la quiétude des prières. Il referma soigneusement la porte.

\*\*\*

Seize heures quarante. Alexandre se lavait les mains avant de quitter le travail lorsqu'il jeta un coup d'œil au miroir. Il avait négligé de se faire couper les cheveux et on commençait à voir ses boucles. Il décida de se rendre chez le barbier et d'en profiter pour passer au magasin s'approvisionner en riz, en eau et en boites de conserve. Ses armoires étaient vides.

C'était une longue marche, mais il faisait beau et, après l'extravagance du taxi de la nuit précédente, Alexandre ne désirait pas utiliser les deux billets d'autobus qu'il s'accordait chaque mois. Depuis qu'il avait cessé de faire du sport, la marche rapide lui servait d'exercice. Il se dirigea vers le quartier italien à un bon pas, en réfléchissant aux évènements de la veille. Ils l'avaient certainement amené à déroger à plusieurs des règles de vie qu'il s'était imposées. Il avait bavardé, écouté de la musique, s'était promené en voiture. Par contre, maintenant qu'il était solidement ancré dans sa retraite urbaine, il pouvait peut-être se permettre une incartade de temps à autre sans pour autant porter atteinte à la discipline adoptée avec soulagement deux ans auparavant.

Il conclut qu'il attendrait quelques jours avant de contacter le chauffeur afin de retrouver la librairie mystérieuse. D'ici là, pas question de se laisser aller.

— Monsieur Alex, monsieur Alex !

Il se retourna. Un homme aux longs cheveux gras, revêtu d'une veste de cuir cloutée, le poursuivait.

— Monsieur ? Tu me reconnais pas ?

Alexandre scruta le visage de son interlocuteur; il avait de beaux yeux doux, tout de même. Ce regard lui disait quelque chose.

— Frank ?

— Oui monsieur. J'ai failli pas te reconnaitre. Tu as l'air... différent.

Frank souriait de toutes ses dents blanches, comme un petit garçon heureux.

— Et oui, Frank, mais, tu sais... toi aussi, tu as changé.

Alexandre contemplait avec étonnement cet homme à l'aspect louche, le genre de gars qu'on cherche généralement à éviter de croiser même sur une rue bien éclairée. Il n'avait oublié aucun des élèves à qui il avait enseigné au cours des ans. En rafale lui revint une série d'images. Frank, tout rouge, qui frappait Sophie avec un camion. Frank qui enveloppait Sophie dans ses bras et la consolait en pleurant lui aussi. Frank qui, au grand plaisir de ses camarades, imitait un ver de terre sur le plancher de la salle de classe. Frank, hilare, qui lançait des blocs Lego dans les airs et se tenait ensuite sous cette pluie les bras levés en chantant, faux, « *I'm singing in the rain* ». Frank, la petite peste au cœur d'or, vivait certainement toujours à l'intérieur du géant devant lui. Alexandre était content de le revoir, même s'il évitait généralement les gens de son passé.

Frank lui emboita le pas.

— Où est-ce que tu vas ?

— Je vais me faire couper les cheveux.

— Mais ils sont pas longs, tes cheveux ?

— Oui, mais, les tiens, ils le sont !

— Ouais. C'est vrai. Ça me donne une idée : est-ce que je peux y aller avec toi ?

Zut, sa routine en prenait décidément un coup ces jours-ci.

Alex inspira profondément, se rappela qu'on ne peut pas tout contrôler. Il ne voulait pas décevoir le petit Frank. Ni le grand.

— Monsieur, tu as été mon professeur favori.

— Je suis content que tu te souviennes de moi.

Ils arrivèrent chez les barbiers italiens qu'Alexandre affectionnait, car ils lui coupaient toujours les cheveux bien courts, sans énoncer un seul mot ou perdre leurs airs taciturnes.

Frank et Alexandre s'installèrent chacun sur une chaise de cuirette rouge et les coiffeurs se mirent au travail.

— Tu devrais leur dire ce que tu veux, Frank. Sinon tu risques de te retrouver avec une coiffure comme la mienne.

— Bof.

Frank commença à bavarder de choses et d'autres, inlassablement, pendant qu'on lui lavait les cheveux, qu'on les lui coupait. Il raconta comment il était devenu débardeur, à quel point il adorait faire fonctionner les grues, décharger et charger les navires ! On avait toujours besoin de gens pour manœuvrer les machines. Pas comme les camionneurs, une espèce maintenant disparue. Le discours de Frank était émaillé de *containers* frigorifiques, de chantiers navals, de porte-*containers*, de *freight*, autant de mots qu'Alexandre ne connaissait ni en français ni en anglais d'ailleurs. Il écoutait, résigné. Pour la troisième fois cette semaine, on l'avait forcé à sortir de sa coquille. Il était épuisé.

Le coiffeur lui balaya les épaules et retira la serviette. Mais, plutôt que de repartir, Alexandre s'installa sur un banc, devant la chaise où se trouvait Frank. À quoi ressemblerait-il, une fois dépouillé de sa coiffure de motard ?

— Monsieur ?

— Quoi ? Pardon, Frank, j'étais dans la lune. Qu'est-ce que tu as dit ?

— Je t'ai demandé si tu as toujours le tatou.

— Le tatou ? Le tatou ? Oh ! Le tatouage.

Alexandre avait complètement oublié son tatouage. Il avait pourtant passé des semaines à l'imaginer, à en dessiner différentes versions. Ensuite, il y avait eu ces douloureuses séances... Le tatouage sur son dos avait créé tout un émoi chez les enfants de la maternelle lors de la sortie de fin d'année à la plage. Puis, c'était devenu une tradition : chaque printemps, les élèves qui en avaient entendu parler par leurs grands frères, grandes sœurs ou amis, attendaient avec impatience cette sortie annuelle où serait enfin dévoilé le fameux tatouage.

— Monsieur ?

— Oui. Et au fait, Frank, tu peux m'appeler Alex.

Ah ! Bon, Frank venait de lui donner une idée, une alternative à ce prénom d'Alexandre qu'il détestait... Dorénavant, il serait Alex. Comment avait-il pu oublier qu'à une certaine époque, ses élèves l'appelaient Monsieur Alex parce que c'était plus simple ?

— Monsieur. S'il vous plait. J'aimerais revoir le tatou.

Alex hésita un instant. Puis, il se tourna vers le mur, se déboutonna et souleva l'arrière de sa chemise.

— Oh, émirent simultanément Frank et les deux coiffeurs.

Alex se retourna. C'était bien la première fois qu'il les voyait sourire ceux-là.

— C'est INCROYABLE. Tellement cool ! Merci.

Les barbiers acquiesçaient de la tête. Entretemps, à deux ils avaient terminé la coiffure de Frank. Étonnamment, ils ne lui avaient pas fait une brosse militaire, comme pour Alex, mais avaient plutôt récréé la coupe de cheveux du gamin de maternelle. Et ma foi, cela lui allait assez bien.

Ils payèrent et sortirent.

— Alex, est-ce que tu es toujours professeur ?

— Non, je suis...

Saisi d'une soudaine inspiration il ajouta :

—... je suis ermite.

— Ermite ? Mais qu'est-ce que tu veux dire ?

Alex sourit sans répondre. De toute façon, Frank avait repris son monologue : la beauté des énormes conteneurs empilés sur les quais, les grues qui les soulevaient comme des jouets dans la nuit, la défunte union des travailleurs, les *shifts* de travail, les équipes. Frank était intarissable et Alex ne put s'empêcher d'être touché par tant d'enthousiasme. Et puis, il était content : Frank l'avait aidé à régler ce problème de prénom qui l'agaçait depuis un certain temps. Oui. Alex lui convenait dorénavant tout à fait.

Une fois parvenus devant l'édifice où il habitait, ils échangèrent une poignée de main avant de se séparer. Frank marmotta quelque chose au sujet d'une visite au port la nuit, puis il repartit d'un pas débonnaire. Sa carte électronique à la main, Alex s'immobilisa. Zut. Il avait oublié d'aller faire provision de conserves et de riz. Tant pis, il s'en passerait. Il lui restait une bouteille d'eau et un court jeûne lui ferait du bien. Avant d'entrer, il se retourna et suivit Frank des yeux. Puis, il embrassa du regard les passants, les gens qui attendaient à l'arrêt d'autobus, les automobilistes.

À l'intérieur de chacun d'entre eux habitait toujours un enfant.

***

Octobre était arrivé et Alex n'avait pas retrouvé la petite librairie.

Pour la première fois en quelques semaines, il dormait profondément. Il se trouvait au sein d'un ailleurs dépeuplé car, depuis qu'il avait embrassé sa nouvelle vie, il avait cessé de rêver. Du moins, il oubliait ses rêves. Ou contrôlait-il jusqu'à ses songes ?

Comme un tentacule, une voix vint le chercher. Il ouvrit les yeux.

— Monsieur Alex ! Monsieur Alex !

Mais, qu'est-ce que… ? Irrité de s'être fait réveiller, Alex se leva, franchit les quelques pas qui le séparaient de la fenêtre et écarta deux bandes du store vénitien. Frank se tenait sur le trottoir, à quelques mètres. Il criait toujours.

— Monsieur Alex ! Monsieur Alex !

Mais quel casse-pied ! Et il ne pouvait même pas le faire taire en passant la tête par la fenêtre, car elle ne s'ouvrait pas. Alex souleva abruptement le store et colla son visage tout contre la vitre, en espérant que Frank le voie et cesse de crier.

— Monsieur Alex !

En apercevant cette face aplatie sur la fenêtre, Frank attrapa le fou rire. Alex sentit la moutarde lui monter au nez. Il respira profondément et fit signe à Frank d'attendre.

Il s'assit pour se calmer et réfléchir un instant. Qu'est-ce que cet imbécile faisait ici au beau milieu de la nuit ? Et lui, Alex, pouvait-il se permettre une conversation futile, une autre entorse à ses règles de vie ? Pourquoi le destin s'acharnait-il à le tenter ? Pourquoi se trouvait-il tout simplement incapable de rester silencieux en présence de Frank ?

En s'habillant, il résolut d'accepter cette intrusion comme un mal nécessaire, de ne pas se battre contre le destin, mais de tolérer ces étranges moments tout comme des nuages qui passeraient dans le ciel. Ce n'était qu'une étape de plus.

Il sortit en prenant soin de ne pas claquer la porte et s'approcha de Frank qui jouait avec son téléphone, appuyé sur une énorme motocyclette stationnée illégalement à l'arrêt d'autobus. Il chuchota avec colère :

— Frank ! Mais qu'est-ce que tu fais là ?

— Tu te souviens pas ? Quand on s'est vu le mois dernier, on avait dit que je t'amènerais visiter le port. Pourquoi tu chuchotes, Monsieur ? Il y a déjà pas mal de bruit...

Un camion passait en rugissant et Alex dut crier pour faire entendre sa réponse.

— Je t'ai demandé de ne plus m'appeler Monsieur. C'est ridicule ! On n'est plus à l'école primaire. Qu'est-ce que tu fais ici à cette heure ? Tu es ivre ou quoi ?

Frank baissa la tête, à peine, un instant. Puis, il s'exclama joyeusement :

— Tu as vu ma Harley ? Zen.

Et il en tapota affectueusement le siège. Il ajouta :

— Et, non, je suis pas soul. Je bois plus. Depuis au moins dix ans. Alex, tu as vraiment oublié ? Notre idée d'aller au port la nuit ? C'est incroyable ! Les énormes *containers* de toutes les couleurs, les grues, les...

— Frank, je ne t'ai jamais promis d'aller visiter le port à moto en plein milieu de la nuit ! C'est absurde. Et puis, je te l'ai déjà dit, je suis ermite.

— Je sais même pas ce que ça veut dire. Un ermite. Je pensais que c'était un type de crabe. Un Bernard...

— Quand même ! Tu n'es pas si stupide que cela ! Bon,

écoute-moi. Je ne parle plus aux gens à moins que ce soit absolument nécessaire. J'ai fait vœu de silence. Dans mon cas, c'est un peu ça, un ermite. Je suis content de te revoir, mais...

— Viens, viens ! Je te jure qu'on bavardera pas. De toute façon, en moto...

— D'accord. Mais, après la visite, on ne se verra plus. C'est un pacte ? Ça n'a rien à faire avec toi, mais je tiens à m'astreindre à certaines règles de vie et je ne veux surtout pas interagir avec les gens. Je me suis retiré.

— Oui oui. Oui oui.

Alex retourna chez lui passer un veston plus épais. Il n'avait pas besoin d'accepter cette invitation. Qu'est-ce qui l'avait poussé à le faire ?

Lorsqu'il revint, Frank tenait deux casques rutilants à bout de bras, comme des trophées. Il l'aida à mettre le sien, puis ils enfourchèrent la Harley et démarrèrent.

Frank fit un long détour, emprunta une enfilade compliquée d'autoroutes et de bretelles de contournement. La lune d'octobre était pleine et elle éclairait la chaussée d'une froide lumière blanche, lui donnant une apparence irréellement dure et plane. Alex n'avait jamais fait de moto et ne savait pas vraiment à quoi s'attendre. Il avait toujours imaginé que le bruit l'incommoderait et il était surpris de découvrir qu'il n'en était rien. Il sentit monter en lui une sorte de joie sauvage, une exaltation féroce. Il s'enivrait de vitesse, de vacarme, de la puissance de ce moteur qui les propulsait à toute allure. Les narines entrouvertes, frémissantes, il absorbait les effluves d'essence, du vent, de l'acier, de cuir et de la mer dont ils approchaient. Il avait l'impression de ne faire qu'un avec Frank et sa motocyclette, d'avoir été transformé en bête indomptable et mythique. Au loin, les lumières du port Delta embrasaient le ciel, comme un piège à mites démesuré.

Soudain, Frank commença à pousser des hurlements de loup. Ses cris et ses rires se mêlaient aux rayons de lune et aux grondements de Zen, dans un désordre délirant. Un instant, Alex eut envie de se joindre à lui, mais il hésita trop longtemps : ils avaient ralenti et s'arrêtèrent à une barrière.

Une sentinelle salua Frank et demanda à voir le permis d'Alex. Frank se lança dans une interminable explication. Le garde avait les yeux levés au ciel comme s'il priait les astres de venir le délivrer. Ce n'était certainement pas la première fois qu'il subissait une tirade de Frank. Alex s'interrogeait. Qui, de Frank ou du garde, allait gagner ? Au fait, depuis quand le port était-il aussi difficile d'accès ? Alex se souvenait s'y être promené et avoir même soupé dans un restaurant chic. Qu'était-il advenu de ce restaurant ?

Après une dizaine de minutes de palabres, le garde secoua la tête, tourna carrément le dos à Frank et retourna dans sa cabine. La barrière était toujours fermée et Frank fulminait. Il revint vers Alex en se trainant les pieds.

— Je croyais sincèrement qu'ils allaient nous laisser passer. Après tout, ils me connaissent.

— Ça ne fait rien. Tu sais quoi ? Je n'étais jamais monté à moto avant et j'ai trouvé ça formidable.

— Hey ! Tu veux aller déjeuner à Hope ?

— À Hope ? Non merci. Je suis content, mais épuisé. Je travaille ce matin. Tu me ramènes chez moi ?

— Ok. On va prendre un autre chemin.

Ils enfourchèrent Zen et empruntèrent cette fois-ci un dédale de rues compliquées. Alex imagina tous les dormeurs irrités qu'ils laissaient dans leur sillage, le chant de leurs malédictions.

Les effluves salins s'effacèrent. Alex devinait qu'on approchait de chez lui. Ils tournaient le coin d'une rue quand il perçut, du coin de l'œil, l'escalier en colimaçon. La librairie ! Alex frappa immédiatement Frank à l'épaule. Celui-ci immobilisa la motocyclette.

— Frank, je dois descendre ici.

— Ici. Pourquoi ?

— C'est un secret.

Il faisait toujours noir, mais quelques mouettes criaient déjà au loin. En les entendant, Frank ajouta :

— La prochaine fois, je t'amène voir les corbeaux. Le soir, tu sais avant le coucher du soleil, ils se réunissent tous à…

— Arrête.

Alex secoua la tête.

— Décidément, tu es incorrigible. Mais j'ai passé de très bons moments avec toi, Frank. Merci. Adieu.

Frank démarra. Alex se demanda s'il avait bien entendu. Il lui avait semblé que Frank chantait, de concert avec Zen. Il haussa les épaules en souriant.

Il s'appuya contre un mur, ferma les paupières et prit un instant pour savourer la merveilleuse intensité de tout ce qu'il venait de vivre. Puis, Alex se dirigea vers l'escalier. En bas, les fenêtres de la librairie luisaient, doucement blondes. Comme des yeux. Comme des lampes. Irrésistibles, elles l'appelaient.

***

La rue était trop déserte. Où étaient donc les clients de l'autre soir ?

Alex descendit et s'approcha de la porte vitrée. Une affiche dessinée à l'encre couleur lilas fanée y avait été apposée. « *La Librairie des Insomniaques est fermée pour cause de pleine lune. Désolé.* »

Alex poussa un soupir de contentement. Il connaissait enfin le nom de la petite librairie ! Elle était fermée et bien, tant pis, il reviendrait plus tard. Il était d'ailleurs temps de se retirer dans son ermitage en portant attention à l'itinéraire cette fois-ci.

Avant d'entreprendre le trajet, il s'assit sur une marche pour faire le point. Il se promit que, quoi qu'il puisse lui en couter, il respecterait les règles de vie qu'il s'était imposées : le silence, le dépouillement, la solitude, le sacrifice, la…

— Oh, non !

Il se retourna. Derrière lui se tenait la femme au sourire, mais elle semblait contrariée.

— J'avais complètement oublié la pleine lune. Et moi qui avais tellement hâte de venir.

Alex lui sourit. Elle ajouta :

— Oh ! Mais je vous reconnais. Vous étiez ici l'autre nuit. Le mois dernier, je crois.

Alex hocha la tête. S'il s'était accordé le droit de parler, il aurait dit :

— *Comment vous appelez-vous ? Et j'adore votre sourire. Il est... tout puissant. Il m'a apporté une grande sérénité pendant plusieurs heures. Merci.*

Mais il était clair que ceci ne constituait pas un cas de force majeure. La parole n'était pas nécessaire. Cette femme était résiliente. Elle ne serait pas insultée par son silence.

Elle s'installa à côté de lui.

— Comment vous appelez-vous ? Il est de plus en plus rare que des nouveaux se joignent à nous.

En guise de réponse, Alex la fixa avec gentillesse. Il souleva les bras en signe d'impuissance.

Ils passèrent un long moment à contempler à travers les fenêtres les étalages de la librairie. Sur la vitre, leur image se superposait à celle des livres. La femme lui rappelait une statue Maya, énigmatique et fière. Elle se tourna vers Alex :

— Vous avez fait vœu de silence, n'est-ce pas ?

Alex leva les sourcils en signe d'admiration devant tant de perspicacité. Il espérait lui transmettre ainsi :

— *Autant que possible. Parfois, se taire fera de la peine à mon interlocuteur, il faut alors parler. Il arrive aussi que je doive communiquer au travail ou répondre au téléphone. Mais autrement, oui, tu as raison : je garde le silence. Toi, tu es une femme saine qui ne se laissera pas heurter si facilement. Mais, tout de même, il est incroyable que tu aies pu saisir ceci si rapidement... On devrait se tutoyer.*

Elle s'empara spontanément de sa main et se leva, entrainant Alex à sa suite. Sa peau était faite de contradictions : rêche et sensuelle, chaleureuse et fraiche. Alex eut l'impression d'être emporté par un ruisseau avec des plantes, du sable, des galets.

— Je vais vers la rue Broadway. Et toi ?

Alex hocha la tête.

— Dommage pour la librairie; mais l'occasion est parfaite pour aller commettre un petit acte ou deux de « *guérilla jardinière* ». Viens avec moi. Je vais te faire visiter mes jardins.

Il y avait longtemps qu'Alex n'avait pas écouté les actualités ou lu un journal. Il se souvenait cependant qu'aux dernières nouvelles, les représentants du gouvernement avaient insinué que la guérilla jardinière constituait une atteinte à la propriété privée, une offense sérieuse, en fait presque une forme de terrorisme économique. Il s'immobilisa, se raidit.

— *N'est-ce pas dangereux ?*

— Ne t'inquiète pas, je vois bien que tu es épuisé. J'irai seule cette fois-ci. Mais j'aimerais tellement...

Ils se dirigèrent ensemble vers la rue Broadway. La femme avait raison : il était exténué. Il savoura cependant pleinement cette promenade sereine. Il adorait évoluer dans cet univers d'ombres et de lumières, comme dans un vieux film muet.

Sur le grand boulevard, leurs mains se détachèrent. Elle reprit la phrase restée en suspens :

– ... que tu m'accompagnes lors de la prochaine pleine lune. Tu verras qu'il n'y a là rien de subversif ou de dangereux.

Alex hésita un moment; puis, il acquiesça; il ne s'intéressait plus à la politique et ne voulait pas s'impliquer, mais il désirait la revoir. De toute façon, cela ne se produirait pas avant quelques semaines.

— On se rencontre devant la librairie lors de la prochaine nuit de pleine lune ? C'est confirmé ?

— *Je te reverrai bien avant, je l'espère.*

Comme si elle avait entendu sa pensée, elle se tourna vers Alex et lança :

— À bientôt, alors !

Il eut envie de la serrer dans ses bras, mais il était trop tard : elle marchait déjà rapidement vers l'ouest. Il emprunta la direction opposée.

Lorsqu'il se retourna pour lui faire signe de la main, elle avait disparu. Alex ne connaissait toujours pas son nom. Pourquoi tient-on tant à nommer les gens et les choses ? Il se rappela vaguement avoir un jour lu un article fascinant à ce sujet; ou peut-être avait-il entendu un reportage à Radio-Canada il y a bien longtemps, avant la disparition du diffuseur public. Mais quoi qu'il en soit, il ne s'en souvenait plus. À tout hasard, il décida de l'appeler Mélodie. Le prénom parfait pour une musicienne.

*\*\**

Lorsque Balwinder arriva en bordure de son quartier, le soleil coulait déjà sur l'autoroute presque déserte. Il ralentit et les muscles de ses épaules se détendirent. Une fois de plus, il contempla avec fierté les maisons, bien alignées et délicieusement semblables les unes aux autres; les avenues, où circulaient de gros véhicules bien entretenus; les pelouses soigneusement rasées. Il adorait habiter cette banlieue et aurait été désolé d'entendre les blagues dont elle faisait parfois l'objet.

Balwinder n'avait ni le temps ni l'envie de s'attarder aux regrets. Si les couleurs de son pays natal lui montaient à la gorge, chargées de nostalgie, de sourires et de vitalité, il fermait les yeux et conjurait une image. Minuit, quarante-cinq degrés d'humidité, les enfants maigres et pieds nus debout sur des amoncèlements d'ordures fumantes au bord de la route et lui roulant vers l'aéroport, vers un tout autre univers, vers le Canada.

Le père de sa fiancée l'avait aidé à mettre sur pied cette petite affaire de taxis et, depuis quelques années, il avait choisi de travailler la nuit : il ne pouvait plus très bien dormir après le coucher du soleil, de toute façon. Il y avait encore des clients qui préféraient un chauffeur conventionnel aux voitures autonomes et ceux-ci étaient souvent des êtres nocturnes.

Une fois le véhicule stationné dans l'entrepôt et la paperasse dument remplie, Balwinder s'introduisit dans la maisonnette fraichement repeinte attenante, enleva ses chaussures et les rangea soigneusement. Il les polirait plus tard. Il se dirigea immédiatement vers la grande pièce située à l'arrière. Elles l'attendaient.

***

Balwinder pénétra dans la chambre et enleva le drap qui recouvrait la volière. Les trois perruches le saluèrent par des cris aigus. Il ouvrit la porte de leur cage et elles prirent immédiatement leur envol, barbouillant joyeusement son logis d'évanescentes touches pastel. Nu-pieds sur l'épais tapis blanc, Balwinder observa longtemps les trois oiseaux qui chantaient et jouaient dans la lumière dorée de l'aube.

Puis il déroula son turban. Il enleva le patka et se peigna les cheveux avant de s'installer au bureau pour imprimer une carte routière et y souligner méticuleusement au crayon jaune les pâtés de maisons parcourus à la fin de son quart de travail.

Les perruches s'étaient perchées près de lui dans les

rideaux de mousseline. La fenêtre était entrouverte et la brise remuait le voile. Les oiseaux se balançaient lentement, les yeux fermés de contentement. Elles aimaient le son de la voix humaine, Balwinder se mit donc à leur expliquer à voix haute ce qu'il faisait :

— Il y a quelques semaines, j'ai fait monter un client qui était à la recherche d'une petite librairie de l'ancien temps ouverte la nuit. Lorsqu'il m'a décrit cette librairie, j'ai immédiatement voulu la retrouver pour lui et surtout pour moi.

—.........

— Tous mes plus beaux souvenirs d'enfance se trouvent dans des livres.

—...................... ?

— Finalement, cette nuit après le travail, j'ai commencé à ratisser systématiquement ce quartier.

Ratisser un quartier. Il n'aurait pas dû utiliser cette expression qui avait pour lui de mauvaises connotations. À lui seul le verbe ratisser lui serrait la gorge. Depuis les évènements. Non. Arrête !

—............ !

— Non ! tais-toi !

—.........

— Arrête. Je t'ai dit cent fois que je ne veux pas parler de ça ! D'ailleurs, il est temps que vous retourniez dans votre cage.

Balwinder rangea la carte. Et les perruches. Puis il se dirigea vers sa chambre où il s'endormirait bientôt bercé par le son des voitures toutes propres, comme par des vagues.

*\*\**

Balwinder explorait un secteur au nord de la rue Broadway, un quartier anormalement désert et silencieux. Après quelque temps, il repéra cependant un piéton, un deuxième et un troisième. Ils convergeaient tous vers le même endroit. Et tous, l'un à la suite de l'autre, semblaient être avalés par le béton. Balwinder stationna, courut vers l'emplacement en question et se retrouva directement devant l'escalier en colimaçon que lui avait décrit son client. Eurêka !

Lorsque Balwinder fit son entrée, un homme à l'épaisse chevelure argentée était assis au comptoir, plongé dans la lecture d'un gros bouquin. Au son de la clochette, il releva la tête. Balwinder fut frappé par la couleur de ses yeux verts d'eau, par ses longues moustaches et par ses sourcils en broussaille d'où s'échappaient de délicates vibrisses.

— Bonsoir.

— Bonsoir. Quelle jolie librairie !

— Merci bien. Je suis Viateur, propriétaire. À votre service.

— Balwinder. Enchanté.

— Il y a des fauteuils ici et là, si vous désirez vous assoir et essayer un livre avant de l'acheter. La pièce sous la mezzanine est réservée à notre auteure en résidence mais, autrement, sentez-vous libre d'explorer à votre guise.

D'un mouvement leste, Viateur se leva. Il avait la démarche souple et athlétique d'un jeune homme. Il portait des vêtements de coton gris, bien taillés, mais simples et confortables qui paraissaient si doux que Balwinder éprouva immédiatement une irrésistible envie de les toucher.

Viateur expliqua que la librairie ne contenait que des livres recommandés par ses clients ou ceux qu'il avait lui-même lus et adorés. Il lui indiqua ensuite où se trouvaient certaines collections. Balwinder écoutait à peine, ravi d'avoir découvert cet endroit. Il remercia Viateur et se mit à circuler dans les allées.

Les planchers de larges pièces de bois peints vert forêt craquaient sous ses pas. Et puis, il y avait ce parfum qui lui rappelait à la fois un feu de campagne, des plantes fraichement arrosées et les vacances de son adolescence, passées à lire dans le cagibi sous l'escalier menant à l'appartement de sa grand-mère. Les abat-jours des plafonniers semblaient avoir été confectionnés avec des tissus de robes estivales du vingtième siècle et ils donnaient à la scène un éclairage légèrement tamisé et festif. Il leva la tête. Avec ses deux escabeaux tordus, la mezzanine lui rappela un dessin qu'il avait vu quelque part. Une illustration vaguement surréaliste où tout menait à tout. Le nez en l'air, Balwinder se heurta à une femme indienne qui lisait debout, appuyée sur une étagère.

— Oh ! Excusez-moi. Je devrais regarder où je vais.

— Pas de problème.

Elle se replongea dans sa lecture avec un joli sourire qui lui rappela, de façon fugitive, le visage de Manali. Mais il n'éprouva aucune tristesse. Étrange. Cette femme lui avait fait don d'un moment de bonheur : une lumineuse évocation de sa Manali.

Balwinder tourna son attention vers les livres. Le système de catégorisation lui était incompréhensible et il se rendit rapidement compte qu'il ne lui servirait à rien de chercher un ouvrage précis, il valait mieux se laisser porter par le hasard. Il commença donc à circuler aléatoirement, à butiner ici et là. De temps en temps, il se sentait attiré par un bouquin, le retirait de l'étagère, parcourait quelques paragraphes, s'imprégnait d'une atmosphère. Trop excité, il ne put se concentrer sur aucun livre, il voulait les consulter tous à la fois. Épuisé par l'exaltation et la joie, il décida d'aller demander conseil à Viateur.

Une jeune fille au visage recouvert d'anneaux lisait assise par terre, adossée à une pile d'encyclopédies. Elle portait une chemise à carreaux chiffonnée et des bottes militaires. Au moment où il passait, elle releva la tête et lui tapota la cheville, un peu comme on cognerait à une porte. Il s'accroupit. Elle avait le regard vif et intelligent d'un écureuil roux.

— J'ai quelque chose à vous recommander.

Elle lui tendit son livre.

— J'allais justement demander une suggestion à Viateur. Mais comment sais-tu que moi, je l'apprécierai ? On ne se connait pas.

— Je ne veux pas l'abandonner ici tout seul. Comme vous.

Mais qu'est-ce qu'elle pouvait bien signifier ? Balwinder prit le livre et la remercia.

Sans regarder le titre de l'ouvrage afin de se réserver une surprise pour plus tard, Balwinder se dirigea vers le comptoir et le présenta à Viateur qui éclata de rire :

— Quel excellent choix ! Vous désirez que je l'emballe ?

Balwinder accepta. Après tout, quand on ne sait pas ce qu'on vient d'acquérir, c'est un peu comme un cadeau de soi à soi.

Un drôle de petit sourire au coin des yeux, le propriétaire enveloppa son achat dans une feuille de papier fauve et le lui remit. Alors que Balwinder se dirigeait vers la sortie, la femme qui lui rappelait Manali se retourna et lui fit un signe de la main. Il se demanda si elle était Indienne. Tout à coup, elle lui paraissait plutôt Inuit. Elle n'appartenait nulle part. Ou bien partout.

Peu importe. Il reviendrait. Oui. Décidément, il reviendrait.

*** 

Un barbu enturbanné sortait de l'établissement. Il tenait un petit colis enveloppé de brun. Frank se demanda s'il s'agissait d'un objet de contrebande. Après tout, quel type de magasin pouvait bien être ouvert à quatre heures du matin ? Louche. Louche et intrigant. Il allongea le bras et retint la porte pour l'individu puis pénétra à son tour dans la boutique.

Wow ! Une librairie ancienne ! Une librairie comme il n'en existe plus que… dans les livres. Mais ç'aurait dû être le contraire, non ? Depuis le passage des bibliothèques au numérique, Frank n'avait pas souvent eu l'occasion de se retrouver dans un tel endroit. Il avait oublié à quel point il adorait être entouré de bouquins.

Et puis, il y avait cette jeune femme, installée à lire dans un nid de coussins. Cela lui rappela les forts qu'il bâtissait dans le salon de ses parents lorsqu'il était enfant. La femme l'avait dévisagé un moment à son arrivée. Mignonne avec tous ces anneaux. Comment s'y prendre pour l'aborder ?

Il fut interrompu par le libraire :

— Puis-je vous être utile ?

— C'est drôle.

— Qu'est-ce qui est drôle ?

Frank répondit :

— Je savais pas dans quel type de magasin j'allais entrer et, juste comme ça, je me retrouve exactement à l'endroit où je voulais être.

— J'en suis ravi, mais aussi un peu curieux. Si vous ne saviez pas que c'était une librairie, pourquoi êtes-vous ici ?

Frank expliqua :

— La semaine dernière, un ami m'a demandé de le déposer tout près. Ça m'a intrigué et, ce soir, j'ai terminé mon *shift* et je passais dans le quartier, j'ai décidé de mener ma propre enquête.

— Merveilleux. Vous vous trouvez ici par hasard et ce n'est pas un hasard. Alors, enquêtez à votre guise, parcourez ce monde où coexistent l'imaginaire et la réalité, mais surtout faites-moi signe si vous avez besoin d'aide.

Frank fut brièvement tenté par la section « Poésie pratique », ou celle de « Tracas et évasions », mais il préféra mettre le cap vers la section « Jeune femme aux yeux… roux ? »

Il se dirigea lentement vers elle, feignant de s'intéresser au contenu des étagères. Comment allait-il s'y prendre pour engager la conversation ? Lorsqu'il arriva à son niveau, elle se leva subitement le faisant sursauter. Elle le regarda droit dans les yeux — oui, elle avait effectivement les yeux roux — et lui présenta un album.

— Je m'appelle Julie-Anne. Et ça, c'est le livre que tu cherches.

Le bouquin s'intitulait : *Le Coup de foudre.*

Stupéfait, Frank n'en montra rien. Il sourit et, suivant une inspiration qu'il trouva complètement géniale, il jeta d'un ton détaché :

— Moi, c'est Frank. Et ça se lit à deux ça, non ?

Elle acquiesça et ils s'installèrent sur des coussins. Les livres autour d'eux faisaient comme des remparts et Frank éprouva immédiatement un merveilleux sentiment de sécurité. Tout naturellement, leurs mains s'enlacèrent et, ensemble, ils se plongèrent dans *Le Coup de foudre*, posé sur leurs genoux.

***

Balwinder n'avait pu résister longtemps. Sitôt dans la voiture, il avait déchiré l'emballage du bouquin qu'il venait d'acheter et avait déplacé son taxi sous l'unique lampadaire de la rue qui fonctionnait toujours. Il faisait une chaleur torride et Balwinder avait baissé toutes les fenêtres avant de se plonger avec fascination dans la lecture de *En réalité, le libraire est un chat.*

Il fut interrompu par le tintement des clochettes : on avait ouvert la porte du magasin. Deux silhouettes se dessinaient dans l'embrasure sur un rectangle de lumière ambrée. Ensemble, elles gravirent l'escalier en spirale et se dirigèrent vers le réverbère en bavardant à voix basse, avec un ton de révérence pour la nuit. Balwinder reconnut alors le motard sympathique de tout à l'heure et la jeune fille aux anneaux.

L'attirance qu'ils éprouvaient l'un pour l'autre était tellement évidente qu'il en fut ému. Même dans la pénombre, ils resplendissaient de fraicheur et de désir. Ils se souriaient comme on ne peut le faire qu'au début d'une histoire d'amour, avec une ouverture totale. Balwinder fut légèrement embarrassé de constater qu'il pouvait ressentir jusque dans le palais de sa bouche le courant qui circulait, tendre, entre leurs deux mains qu'il devinait chaudes, chargées d'une merveilleuse attente. Il éprouva aussi quelques regrets. Jamais plus il ne vivrait de tels moments. C'était fini pour lui.

Arrivés devant la motocyclette, les doigts du couple se délacèrent avec peine. L'homme ouvrit le coffre et en sortit un casque dont il coiffa gentiment la femme. Il portait toujours le sien. Ils enfourchèrent la moto et… rien ne se produisit. Le jeune homme embraya à plusieurs reprises sans succès.

Ils se levèrent, s'enlacèrent, se débarrassèrent des casques comme de vêtements encombrants et vinrent s'appuyer sur la voiture pour s'embrasser longuement. Gêné, Balwinder toussota afin de signaler sa présence. Ils se tournèrent vers lui et il sourit :

— Vous avez des ennuis de moteur ?

Ils échangèrent un regard. Le motard répondit :

— Oui. Mais pas que des ennuis. Haha !

Sa compagne renchérit :

— Comme vous voyez…

— Je vois bien. Je peux vous reconduire quelque part ?

La fille aux anneaux s'exclama.

— Oui ! Allons « quelque part ».

— D'accord, embarquez, et où est ce « quelque part » ?

Les deux s'installèrent sur la banquette, se regardèrent.

— Je… Nous…

— On n'en a aucune idée !

Et ils furent pris de fou rire.

— Au fait, moi, c'est Frank.

— Et je suis Julie-Anne.

— Balwinder, à votre service.

Julie-Anne et Frank discutèrent un moment et le trio emprunta le chemin de l'appartement de Frank. Après quelques minutes, Balwinder se racla la gorge et hasarda :

— Je voudrais vous réciter quelque chose.

— Oui ? Quoi ?

— Des vers que j'ai appris quand j'étais adolescent. Mon professeur de français adorait Prévert. Vous êtes radieux et jamais l'atmosphère d'un poème ne m'a paru si appropriée.

— Nous aimerions ça. Beaucoup, dit Frank en dévisageant Julie-Anne.

Balwinder commença à déclamer, d'une voix très douce :

— *Les enfants qui s'aiment s'embrassent debout*

*Contre les portes de la nuit*

*Et les passants qui passent les désignent du doigt*

*Mais les enfants qui s'aiment*

*Ne sont là pour personne*

*Et c'est seulement leur ombre*

*Qui tremble dans la nuit*

*Excitant la rage des passants*

*Leur rage, leur mépris, leurs rires et leur envie*

*Les enfants qui s'aiment ne sont là pour personne*

*Ils sont ailleurs bien plus loin que la nuit*

*Bien plus haut que le jour*

*Dans l'éblouissante clarté de leur premier amour*[1]

Il y eut un long silence.

Sur la banquette arrière, les enfants irradiaient. Pour sa part, Balwinder songeait aux passants envieux du poème. Oui, il éprouvait bien une pointe de jalousie, mais aucun mépris, aucune rage. Au contraire, il vivait comme un privilège, le fait d'avoir été témoin de ce moment de grâce. De s'y réchauffer.

Et Balwinder les reconduisit.

Ailleurs.

*** 

Alex n'était pas retourné à la Librairie des Insomniaques. Il savait qu'elle existait et, pour le moment, cela lui suffisait.

La vie coulait. Silence, simplicité, travail, marche, méditation. Tout semblait continuer comme avant, mais l'expérience n'était plus la même, Alex avait perdu l'équilibre de son âme.

------------

(1)   poème extrait du recueil *Spectacle* de Jacques Prévert, 1951

Il songeait souvent à *Mélodie*, avec une intensité presque douloureuse. L'état d'ermite urbain qu'il avait adopté ne lui permettait pas de nouer des liens intimes avec autrui, mais le sentiment de bienêtre ressenti aux côtés de cette femme dépassait la sérénité même. N'était-ce pas signe qu'il était temps de passer à autre chose ?

Alex tourna sa chaise vers le mur de son studio. Plaça les mains sur les genoux. Fixa le néant. Le doute, la nostalgie, l'impuissance, la détresse se déroulaient en spirales dans sa poitrine. Il les imagina un peu comme les empreintes que les petits crabes traçaient jadis dans le sable. De minuscules pointillés, invariablement effacés par les marées.

***

Comme au théâtre, la scène était éclairée par un faisceau lumineux. Qui émanait cependant d'une lampe de bureau.

*Tout d'abord apparurent des étagères où étaient alignés, dans un joyeux désordre, les livres de toutes tailles. Puis des pichets de limonade, un gâteau coiffé de crème fouettée, des guéridons d'où jaillissaient des bouquets de fleurs sauvages.*

Pause. Viateur déposa sa plume un instant puis la reprit.

*Des guirlandes festives se propagèrent d'un plafonnier à l'autre.*

Pause. Ah ! Idée.

*Des étoiles filantes traversèrent la pièce. Par la lucarne, on put apercevoir un matou tigré sur un toit. Il souriait de toutes ses moustaches, sur lesquelles atterrirent quelques notes de musique... comme sur une portée.*

Viateur reboucha soigneusement le flacon d'encre de Chine, examina son dessin. Il était satisfait du résultat. Il devait le laisser sécher un instant, alors il sortit sur le palier de la librairie. Il s'étira voluptueusement dans la lueur ardoise de l'aube, s'assit sur les marches pour gouter la fraicheur du petit matin. Un chat gris dormait sous l'escalier en ronflant faiblement.

Puis, Viateur rentra et se dirigea vers l'arrière-boutique. Il revint avec un verre d'eau et ouvrit sa boite d'aquarelles. Cyan, bleu givré, opalin, émeraude, lichen, jade, fuchsia, violet, aubergine, framboise, pêche, citron. Le moment tant attendu. Avec un enthousiasme enfantin, Viateur coloria marguerites, églantines, cruches, planchers, lucarne, bouquins, etcétéra. Au crayon-feutre, il traça ensuite un cadre autour de l'affiche et inscrivit en bas :

LUNDI 30 OCTOBRE : LUNE BLEUE

VOUS ÊTES TOUS CONVIÉ/ES

À NOTRE FÊTE ANNUELLE

Viateur éteignit la lampe de bureau et déposa l'invitation sur le comptoir. Demain, il l'afficherait sur la porte vitrée. Épuisé, il n'avait plus envie que de monter chez lui, boire une bonne lampée de lait, se rouler en boule sur le lit et dormir.

L'aurore se levait : sa lumière brillante et rosée. Dehors, le chat était passé du gris à l'orangé. En équilibre sur la rampe de l'escalier, il lapait la vapeur d'eau qui s'y était posée.

***

Décidément, cette chaleur d'automne était insupportable. Sitôt chez lui, Alex se réfugia sous la douche. Le jet était brunâtre, mais les autorités affirmaient que l'eau répondait aux normes et qu'on pouvait l'utiliser en toute sécurité pour se laver. Il se doucha néanmoins rapidement, la bouche fermée. Peut-être aurait-il dû choisir un plan d'eau supérieur ?

Il se prépara ensuite à souper : il versa dans un bol les portions règlementaires de fèves en conserve et de tomates étuvées. Il y ajouta quelques arachides et se permit une demi-bouteille d'eau. Alex consulta le guide nutritionnel affiché sur l'armoire de la cuisine, afin de s'assurer qu'il avait bien atteint le quota de vitamines et de calories quotidiennement nécessaire pour demeurer en santé. Tout y était.

Il allait s'assoir quand, au passage, son regard balaya le calendrier épinglé au mur. 30 octobre. On y indiquait une pleine lune pour ce soir. Il sursauta. Comment était-ce possible ? Il y en avait déjà eu une ce mois-ci, la nuit où il avait rencontré Mélodie. Puis, Alex se souvint. On compte treize cycles lunaires par année. Par conséquent, « once in a blue moon », la lune bleue, pleine, à deux reprises au cours d'un même mois.

Consterné, il déposa son bol et réfléchit. Il avait finalement décidé hier de se présenter au rendez-vous, mais il avait imaginé que ce serait pour plus tard. Et voilà qu'il devait y faire face dès ce soir sans aucune préparation. Alex respira à fond : n'avait-il pas déterminé de prendre en quelque sorte une récréation, d'arrêter de se battre contre les évènements qui, depuis deux mois, s'acharnaient à contrecarrer ses habitudes ? Ne s'était-il pas promis que, tout en cherchant à respecter les règles de vie qu'il s'était imposées, il demeurerait flexible ? Ne pressentait-il pas de toute façon que Mélodie était une des rares personnes capables de l'accompagner, de loin bien entendu, dans sa démarche, d'accepter tout simplement ses excentricités de moine légèrement délinquant ?

Cette nuit, il irait donc la retrouver à la Librairie des Insomniaques. Décision prise et assumée. Fin de la discussion.

Alex termina son repas et s'étendit sur le lit pour se reposer en attendant le moment de quitter l'appartement. Il s'endormit abruptement.

*** 

Viateur plaça un vase de tulipes rouges sur le comptoir et recula vers l'entrée pour juger de l'effet. Il sourit : tout était prêt. La librairie ressemblait assez fidèlement et très joyeusement à l'invitation qu'il avait dessinée sur son affiche une semaine plus tôt. Il ne lui restait plus qu'à confectionner quelques guirlandes et à les accrocher aux plafonniers.

Viateur se dirigea vers le placard où il conservait des retailles de papier. Alors qu'il passait devant la section « Poésie pratique », le dos d'un mince ouvrage qu'il ne reconnaissait pas attira son attention. Il l'enleva du rayon. Non ! Pas aujourd'hui ! Depuis quelque temps, des livres qui pouvaient lui causer des ennuis apparaissaient régulièrement sur ses étagères. Viateur se demanda, une fois de plus, qui était le ou la responsable. Un client ? Mais lequel d'entre eux voudrait mettre l'existence de la librairie en péril ?

Viateur ouvrit la plaquette. En préface, ces quelques mots :

*Attention à la complaisance.*

*N'oublie pas que la vérité est dangereuse, car elle devrait mener à l'action.*

Il ne put s'empêcher de tourner la page et de parcourir les premières lignes du texte. Une fois accroché, il ne put résister : cette fois-ci, il lirait le bouquin entièrement avant de s'en défaire. Il consulta l'horloge : la lune ne se lèverait pas avant un bon moment. Il verrouilla la porte du magasin, s'assit dans le fauteuil bourgogne, son préféré, et il se plongea dans la lecture.

Deux heures plus tard, Viateur avait terminé. La beauté de la langue, les idées, la clarté avec laquelle l'auteur anonyme avait exposé sa thèse; tout était éblouissant de rigueur, élégant et surtout trop vrai.

Viateur avait confié à Myriam les ouvrages clandestins qu'il avait trouvés jusque-là. Il préférait ne pas savoir ce qu'elle en avait fait, mais il regrettait maintenant ne pas avoir pris le temps de les feuilleter avant de s'en débarrasser. Il se consola en se rappelant que, quoi qu'il arrive, les notions exprimées dans le fascicule qu'il tenait entre les mains resteraient à jamais vivantes quelque part en lui.

Pas question de détruire ce livre. Mais il fallait le cacher. Immédiatement. Avant que les invités se présentent. Mais où ? Viateur balaya la librairie du regard. L'ouvrage était long et étroit et cela lui donna une idée tellement saugrenue qu'il ne put y résister. Il ouvrit le tiroir, en retira un couteau de précision et sectionna les pages une à une, tout près de la reliure, en faisant bien attention de n'écorcher aucun des mots. Il utilisa les bandes de papier ainsi obtenues pour fabriquer des maillons qu'il attacha les uns aux autres en longues guirlandes.

Viateur suspendit au plafond ces chaines subversives et les contempla. Pourquoi des paroles d'espoir, d'ouverture sur le monde, de justice et de liberté d'expression étaient-elles considérées comme toxiques ? Il soupira. Peut-être pourrait-il un jour défaire les guirlandes, relier à nouveau ce livre, l'illustrer, pourquoi pas, et le présenter en vitrine. Pas maintenant, hélas.

Il se trouva lâche. Mais, dans ce nouveau monde, le courage était futile et la connaissance téméraire.

***

Alex se réveilla aussi subitement qu'il s'était endormi. D'où lui venait cette sensation de bienêtre ? Ah. Oui. Cette nuit, il reverrait Mélodie. Lorsqu'il arriverait à la Librairie des Insomniaques, elle serait peut-être déjà là à l'attendre dans la pénombre. Il resta étendu sur le lit un moment, paupières closes, à savourer l'expectative.

*Elle porterait une tunique blanche sur un pantalon bouffant, un grand sac en bandoulière. Leurs yeux se chuchoteraient bonsoir. Mélodie envelopperait sa main de la sienne et l'entrainerait vers les jardins secrets de la ville. Ils courraient sans perdre haleine, la brise se serait levée.*

*Ils s'arrêteraient enfin dans la ruelle d'un quartier cossu, un endroit fréquenté uniquement par les voitures qu'on mène à l'écurie entre deux expéditions de magasinage. De part et d'autre, les murailles de ciment pâle seraient percées de portes de garage, comme par une douzaine d'yeux clos. Au bout de la ruelle : un parc à vendre.*

*Mélodie glisserait la main dans son sac. Elle lui présenterait son poing fermé, le déplierait lentement. Alex pourrait bien distinguer les trois graines qui s'y trouveraient. Il saurait immédiatement qu'elles étaient fertiles, des graines illégales. Il choisirait de ne pas y penser.*

*Ils se faufileraient sous la clôture du parc en rampant et se retrouveraient nez à nez avec des pousses fraiches, des touffes de trèfle, des fleurs de courgette. Alex serait touché par leur invincible innocence. Il se demanderait comment elles pouvaient survivre. Mélodie tirerait une bouteille d'eau de son cabas, nourrirait les plantes clandestines, une à une. Puis, elle planterait et arroserait les trois graines sans lui confier ce qu'elles deviendraient plus tard.*

Un rayon de lune s'infiltra entre les lamelles tordues du store. Alex ouvrit les yeux et sauta du lit. Il ne voulait pas faire attendre Mélodie trop longtemps. Il se précipita vers la librairie au pas de course, en suant à grosses gouttes dans ses vêtements de polyester.

***

Plusieurs personnes se dirigeaient dans la même direction qu'Alex. Se pouvait-il que la librairie soit ouverte, malgré la pleine lune ? Qu'il n'ait pas rendez-vous avec Mélodie ce soir ?

Il observa les piétons. Quelque chose ne collait pas. Après quelques minutes, il mit le doigt dessus : ils étaient tous un peu trop élégants pour une ballade en ville au beau milieu de la nuit. De fait, on aurait dit qu'ils se rendaient à une soirée.

Alex commençait à s'y attendre mais, lorsqu'il tourna le coin de la rue, il fut tout de même désolé d'entendre les rires et les paroles qui s'élevaient de la librairie. Il jeta un regard interrogateur vers une passante qui lui rappela, étrangement, une banane sympathique. Sans comprendre sa question muette, elle lui décrocha un sourire timide et accéléra le pas.

Plusieurs personnes étaient assises dans l'escalier en colimaçon à rire et à discuter, un verre à la main. Alex se fraya un passage vers la porte ouverte. Une affiche colorée y était apposée : l'invitation pour la fête de la lune bleue. Ah bon ! Tout s'expliquait. Alex marqua une pause. Il s'était accordé une « récréation », mais désirait-il aller si loin ? Entrer ? Assister à une fête ? Où trancher ? Il ne tenait absolument pas à réintégrer la société. Mais Mélodie serait probablement là. Que faire ? Pourquoi tout était-il devenu si compliqué récemment ?

De minuscules lampions éclairaient la librairie comme des mouches à feu. Leur lumière rebondissait par soubresauts sur les guirlandes, les fleurs, les pichets d'eau où flottaient des glaçons, des feuilles de menthe et des lamelles de citron. Un homme à barbiche se tourna vers Alex : « Vous ne trouvez pas que cela ressemble à des étoiles légèrement filantes, ces bougies ? » Alex n'était pas d'accord, mais il hocha la tête, afin d'éviter la conversation qui pourrait s'ensuivre. Il jeta un autre regard à l'intérieur. Les lampions. L'image des lucioles était tout à fait irrésistible. Elle lui rappelait les camps de vacances de sa jeunesse.

Sans plus délibérer, Alex pénétra dans la pièce et fut accueilli par le parfum subtil et enivrant de la cire. De la véritable cire d'abeille. Où le propriétaire avait-il pu s'en procurer ? Il restait très peu d'abeilles et le prix était probablement prohibitif. On ne s'enrichit pas à vendre des livres au beau milieu de la nuit.

Entre temps, le marchand s'était justement matérialisé près de lui, un peu comme l'avait fait Chat-gris lorsqu'Alex avait découvert la librairie. De face, l'homme paraissait songeur. Cependant, lorsqu'il se tourna brièvement de profil, il affichait un immense sourire. Il lui tendit la main :

— Je n'ai pas pu vous souhaiter la bienvenue l'autre soir. Je suis content de vous revoir, particulièrement aujourd'hui. Je me présente : Viateur — libraire.

Alex serra la main de Viateur.

— *Tu as plutôt une tête à t'appeler Félix je trouve... mais je garde ça pour moi.*

— Pardon ?

Alex se racla la gorge.

— Désolé. Je ne veux pas être impoli. Bon, j'imagine que cela vous paraitra inusité. J'ai fait vœu de silence.

— Ah ? C'est tout à fait admirable, mais encore... ?

— D'accord : une explication s'impose. Je m'appelle Alex et... comment dire ? Bon voilà : je suis ermite urbain. Un ermite qui a bien de la difficulté à respecter ses engagements depuis quelques mois, soit dit en passant. En fait, je commence à désespérer. J'aimerais rester, mais...

— Vous avez peur que ce soit trop compliqué.

— *Oui*

Alex fut distrait, l'espace d'un moment. À l'arôme du miel s'entremêlait celui des églantines, de sucre légèrement carbonisé, des biscuits florentins, de cannelle, de tapenade, de menthe, d'orange. Autant de fruits défendus qu'il ne se permettait plus.

Viateur poursuivait :

— Et, si je ne me trompe, vous vous demandiez il y a un instant comment je peux m'offrir ces fleurs, ces chandelles.

— *Mon dieu ! Mais vous êtes devin !*

— Et bien, j'ai tout simplement hérité cette librairie de mes parents adoptifs. Cet endroit est en quelque sorte mon hommage à l'affection qu'ils m'ont vouée, aux soins et aux caresses qu'ils m'ont prodigués au cours des ans.

— *Devin, et riche ?*

— Ils m'ont aussi laissé des sous, bien sûr. Mon commerce ne survivrait pas autrement. Il n'est pas très à la mode de s'intéresser à la littérature.

Alex attendit la suite.

— Mais pour en revenir à votre dilemme. J'aimerais beaucoup que vous vous sentiez libre de fréquenter ma librairie, sans compromis. Si vous le désirez, je vous simplifierai la tâche. J'expliquerai gentiment votre choix à ceux qui pourraient en être offusqués. Ça vous va ? Je vous promets qu'on vous laissera tranquille. Et vous pourrez jouir de cet endroit, à votre façon.

— *C'est parfait. Dans ces circonstances, je peux fréquenter votre librairie. Merci.*

Il s'enfonça dans le fauteuil qui lui indiquait Viateur et s'effaça peu à peu. Il feuilleta la scène en livre d'images, en bribes de conversation qui planaient vers lui.

« On ne vit qu'une fois. »

« Sauf si on lit des romans... alors on peut vivre plusieurs fois. »


« Oui, mais on ne peut pas nier qu'ils ont résolu le problème des sans-abris »

« Bof, c'est la compagnie des prisons qui va s'enrichir.

Quelquechose-corp. J'ai oublié. Comment s'appelle cette compagnie ? »

« Sécuricorpo. »

« Alors je lui ai dit : as-tu déjà mangé une souris ? »

« Hein ! Voyons donc. Et qu'est-ce qu'il a répondu ? »

« Ben tu sais, c'est un peu comme tirer la barbe du père Noël. Ça ne prouve rien, ni d'une façon ni de l'autre. »

Alex n'était plus que le paisible fantôme de la fête. Il avait réintégré la marge.

***

Julie-Anne secoua la manche du chandail de Frank :

— Frank... Je suis un peu nerveuse.

— Moi aussi.

— Qu'est-ce que tu veux dire ? Ce n'est pas toi qui vas lire ton œuvre en public pour la première fois.

Frank serra Julie-Anne dans ses bras d'ours. Il avait hâte de découvrir son monde imaginaire, dit-il.

— Frank, il n'y a pas de mondes imaginaires. Tous les mondes sont réels. C'est ça qui est dangereux.

— Hein ?

— Laisse faire. Parlant de monde, on dirait bien que la majorité des clients de Viateur est ici ce soir. Mais, c'est qui, ce drôle de bonhomme ? Je ne l'ai jamais vu auparavant.

Frank se leva avec enthousiasme.

— Ah ! Mais je le connais ! C'est mon ancien prof de maternelle !!!

— Maternelle ! Il n'a pas l'air rigolo, ton ex-prof.

— Je sais. Mais, au primaire, c'était le gars cool de l'école. Je crois que ma maitresse de sixième année le trouvait même pas mal de son gout. Mais il a tellement changé ! Monsieur Alex, youhou !

— Frank, arrête. J'ai l'impression qu'il ne veut pas être dérangé.

— Non, non. Il va être content de me voir. Allons lui...

Frank et Julie-Anne sursautèrent au son de la voix de Viateur, qui s'était approché d'eux sans qu'ils s'en aperçoivent.

— Bonsoir, les amoureux !

— Allo, Viateur ! Quelle fête réussie ! On allait saluer cet homme là-bas. Incroyable : c'était le prof de maternelle de Frank ! Je me demande pourquoi il reste à part.

— C'est son choix. Laissez-le tranquille.

Frank croisa les bras :

— Il voudrait certainement que je lui présente Julie-Anne. J'étais son élève favori !

Viateur sourit.

— Attends, Frank. Oui, tu es absolument adorable, on le sait tous, mais Alex a demandé qu'on respecte sa solitude.

— Ah oui, son affaire d'ermite. Mais j'y crois pas : s'il voulait vraiment rester tout seul, il serait pas ici ?

— Il est content d'être en périphérie.

Frank leva les yeux au ciel.

— BI-zarre.

— Peut-être, oui. Mais on n'a pas besoin de tout comprendre. Tu aimerais vivre dans un univers absolument et complètement normal, toi ?

— OK. OK. Je le laisse tranquille. Tu veux boire quelque chose, Julie-Anne ? On m'a dit que la bière de gingembre fait des merveilles pour la nervosité.

Julie-Anne et Frank se dirigèrent vers le comptoir et Viateur se retourna vers Alex.

— *Je t'avais dit que tu pouvais compter sur moi.*

— *Ouf. Merci.*

À l'unisson, ils clignèrent des yeux.

Clair-obscur.

Joie.

Quiétude.

Le tambour résonna.

Les invités se dirigèrent vers la cour arrière où ils étaient conviés.

Dans la librairie, il ne restait plus qu'Alex. Il n'avait pas besoin de se déplacer, il avait la certitude que la musicienne était celle qu'il avait surnommée Mélodie. Et qu'elle jouait pour lui.

***

C'était une cour de gravier tout à fait ordinaire, sauf pour la margelle de pierres basse qui entourait un chêne mort et rabougri, sous lequel s'était réfugié un arbre plus petit. Il n'en menait pas large lui non plus et d'une de ses maigres branches pendaient quelques feuilles ridées. Julie-Anne songea fugitivement à des chaussettes biscornues qu'on aurait abandonnées sur une corde à linge. Touchantes quand même, ces feuilles qui continuaient à s'accrocher.

Sous la lune bleue. Sous les chênes. Sur la terre desséchée. Assise en tailleur, Myriam improvisait sur son tambour et un cercle se formait tranquillement autour d'elle. Certains s'installèrent sur la margelle, d'autres sur des chaises métalliques. Julie-Anne et Frank se tenaient debout. Leurs épaules se touchaient.

Un vieillard sortit un yoyo de sa poche et, au rythme de la musique, il commença à le faire monter et descendre d'une main, tout en se caressant la barbiche de l'autre. Dès qu'il l'aperçut, Frank se mit à rire. Irritée, Julie-Anne s'éloigna de lui.

Myriam cessa de jouer. Julie-Anne ressentait toujours dans sa poitrine les vibrations de l'instrument qui s'était pourtant tu. Cela lui rappela les défilés de l'Armistice de son enfance. Elle détestait la fanfare, les gros tambours qui prenaient la liberté de s'immiscer en elle. Ces battements sur lesquels elle n'avait aucun contrôle. Par contre, elle adorait la musique de Myriam. Elle contempla un moment son visage. Son air naturellement si maternel.

Si elle avait eu une mère, si elle avait toujours une mère quelque part, Julie-Anne aurait tant voulu que ce soit Myriam.

***

Le vieux monsieur jouait toujours au yoyo et Frank était en proie à un incontrôlable fou rire que Julie-Anne refusait de partager : une première cassure dans l'harmonie parfaite qu'ils vivaient tout deux depuis quelque temps. Il se mordit la joue afin de se maitriser, mais en vain. Ouch !

Mieux valait regarder ailleurs : Viateur s'était approché de la musicienne et avait placé la main sur son épaule.

— Merci d'être venus nombreux. Dans quelques minutes, je vous présenterai notre nouvelle auteure en résidence. Mais, tout d'abord, ma grande amie Myriam Laforest va vous interpréter une de ses compositions : *Le cri des insectes*.

Sans autre préambule, Myriam tapa onze coups rapides, suivis de trois battements plus lents. Rideaux de vents imaginaires ! Musique !

Frank fut immédiatement subjugué par la complexité des sons qui résonnaient dans la cour. Il en oublia tout le reste, entrainé quelque part dans son passé, vers des étés d'une simplicité lumineuse. Le chant des bestioles le soir ou dans l'herbe l'après-midi. Une porte qui s'entrouvre vers un au-delà, un univers de grésillements, de crescendos paisibles. Et tout cela, Myriam le tirait de son tambour.

Elle ne reproduisait pas des cris d'insectes proprement dits, comme le titre de la pièce l'avait suggéré. On y discernait plutôt une cadence. Celle des cigales, des criquets et de toutes sortes d'autres créatures qu'il avait l'impression de connaitre, sans pouvoir les nommer. Mais qui était cette femme ? Une magicienne ? L'âme de Frank se contracta d'une émotion déconcertante : un bonheur mêlé de regrets. C'était donc cela la définition de *doux-amer* ? Il se l'était toujours demandé. Sans même s'en apercevoir, ou à peine, il était retourné tout près de Julie-Anne. Leurs doigts s'entrelacèrent. Frank sentait battre le cœur de son amoureuse. Ses pulsations voyageaient de sa main à la sienne.

\*\*\*

TAM tadatamtam tam tadatamtam TAM tadatamtam tam tadatamtam

Julie-Anne laissa tomber la main de Frank.

— Je viens de comprendre quelque chose.

— Comprendre quoi ?

Elle se dressa sur la pointe des pieds et chuchota de toutes ses forces :

— C'est une question de rythme.

Elle ajouta :

— J'ai toujours voulu improviser une chanson.

Son souffle était chaud et humide; il chatouilla agréablement les poils de l'oreille de Frank. Il le sentit s'infiltrer dans son conduit auditif et se diriger vers la cochlée. Cochlée, il avait oublié ce mot. Et voilà qu'il venait de ressurgir. Avec son image d'escargot.

Julie-Anne s'avança vers la musicienne. « Je peux ? » exprima-t-elle du regard. Myriam hocha imperceptiblement la tête.

— Tadatadata…

Ce à quoi Julie-Anne répliqua :

–… un chant boursoufflure…

Une conversation s'amorça entre le tambour et les mots. Aux incantations de Myriam, Julie-Anne répondait avec une présence d'esprit qui impressionna Frank.

— cigales toutes allures… gazouillis acérés… calmement effrénés… grésillement de terre… pépiement derrière…

Hum, ça ne fonctionnait pas tout à fait, ces rimes. Mais c'était quand même pas mal pour une improvisation totale. Frank en aurait été bien incapable et il admira le courage de Julie-Anne.

Il se laissa emporter. Des yeux noirs aux yeux roux. De Cybèle à Shéhérazade. D'une déesse aux multiples visages, à cette conteuse qui l'avait si bien enjôlé.

Une complicité joyeuse unissait les deux femmes. Elles étaient belles à s'amuser ainsi. Elles ruisselaient de sourires. Et de bonnes vibrations ! Littéralement. Comme ça faisait du bien cette joie, cette légèreté ludique. Frank savourait leur enthousiasme.

— … doux crescendo animal effacé… souffle de ruisseau-marée.

TAM !

Frank sursauta agréablement. Autour d'eux, la nuit haletait de silence.

Myriam et Julie-Anne s'étreignaient avec chaleur.

Frank fut le premier à applaudir.

\*\*\*

Noir. Noir. Noir. Et le ruban gris de la route qui se déroulait, un morceau à la fois, sous les phares du taxi. Des flashs en accéléré : un champ, une aire de repos, un mur de béton, un viaduc, une publicité.

Ç'aurait pu être n'importe quelle autoroute et n'importe où, en Amérique du Nord ou en Europe. Ç'aurait pu être n'importe quand. En automne ou au printemps. Et lui, quel âge avait-il ? Ses mains étaient-elles marquées de taches brunes ? L'éclairage à coups saccadés de lampadaires ne lui permit pas de vérifier.

Quelle était cette histoire dont il cherchait à s'échapper ? Ce souvenir terré à l'arrière de son cortex, qu'il n'arrivait

plus à récupérer ? Quel chemin ? Quel pays ? Où allait-il ?
Et pourquoi ?

Les panneaux indicateurs apparaissaient brutalement,
pour aussitôt disparaitre sans qu'on puisse les déchiffrer.
Tiens, pourquoi son GPS était-il éteint ? Il aurait pu le
réanimer mais préféra demeurer dans cet état d'incertitude;
rouler sans saison, sans date, sans destination, sur une
route de béton fréquentée par des monstres à roues, des
lampadaires soldats et des sorties fantômes.

Il avançait à une allure effrénée; pourtant, les voitures
s'accumulaient derrière son taxi. Il déplaça le rétroviseur
afin de ne plus sentir leurs yeux métalliques dardés sur lui.
Elles le dépassaient en essaims furieux dès qu'il y avait un
interstice dans la circulation.

Là-bas à l'horizon, il reconnut soudain un éclairage
familier, celui des anciennes pistes de ski perpétuellement
recouvertes de neige artificielle qui surplombaient la cité. On
les illuminait toujours, car elles demeuraient une attraction
touristique très courue. Si les montagnes se trouvaient
devant lui, cela signifiait qu'il se déplaçait vers le nord. Il
arriva enfin au sommet d'une pente d'où il vit apparaître les
lumières de la ville nichée sous les montagnes. À droite, la
pleine lune se levait sur les gratte-ciels.

Tout lui revint alors en tête : la lune bleue, la Librairie
des Insomniaques. Il se rendait à une fête. Il reverrait
Viateur et la femme qui lui rappelait gentiment Manali. Tout
avait enfin un sens. Il activa son clignotant et emprunta la
prochaine sortie. Il savait exactement où il se trouvait.

***

« *... Tout lui revint alors en tête : la lune bleue, la Librairie des Insomniaques. Il se rendait à une fête. Il reverrait Viateur et la femme qui lui rappelait gentiment Manali. Tout avait enfin un sens. Il activa son clignotant et emprunta la prochaine sortie. Il savait exactement où il se trouvait.* »

Julie-Anne, nouvelle auteure en résidence à La Librairie des Insomniaques, se tut et déposa ses feuillets sur une table de jardin.

Était-ce une histoire sur la folie, sur la perte, sur la maladie d'Alzheimer ? On sentait les spectateurs indécis, mais émus. Pour la deuxième fois en une soirée, ils hésitaient à briser le charme de la perplexité par des applaudissements.

Balwinder se tenait dans l'embrasure de la porte. Il avait couru et il cherchait à reprendre son souffle. Il n'en revenait pas de ce qu'il venait d'entendre. Comment était-ce possible ? Comment quelqu'un avait-il pu écrire ceci avant même qu'il ne le vive ? Parce que tout était là, sur les feuilles que Julie-Anne avait lues et ensuite posées sur la table. Il en était certain, ému et surtout abasourdi !

En trois semaines à peine, il avait développé une agréable complicité, une amitié presque, avec Viateur, Frank et Julie-Anne. Il ne leur avait cependant rien raconté de son passé ou de ses préoccupations.

Balwinder s'assit et considéra la jeune femme avec une attention nouvelle. Elle avait décidément un talent inouï.

*\*\*\**

Du haut de la mezzanine, Alex observait avec détachement les invités qui entraient remplir leur verre en bavardant gaiment, sortaient dans la cour, feuilletaient des livres, les commentaient. Quelqu'un mit de la musique électronique, un style qu'il n'affectionnait pas particulièrement mais qui soudain lui sembla joyeux, évocateur d'une histoire qu'on n'aurait pu raconter en paroles. Un homme bedonnant commença à danser avec la femme qui lui avait souri sur la rue. Il la surnomma immédiatement *Banane Sympathique* et fut touché par leur gracieuse maladresse.

Quelqu'un passa sous l'escalier, un biscuit à la main. Alex s'amusa à identifier chacun des arômes : le beurre frais, un peu de cannelle, du zeste d'orange, un chocolat bien noir. Il se perdit un instant dans une intense sensation de désir. Puis il sentit qu'on l'observait. C'était l'homme qui lui avait adressé la parole un peu plus tôt. Vraiment, il lui rappelait le professeur Tournesol.

L'individu monta les quelques marches et se dirigea vers Alex. Il s'installa tout près, sur un pouf, posa son assiette sur ses genoux et commença à manger, en fixant Alex du regard, comme si celui-ci était un animal curieux dans un zoo. Tout en le dévisageant, l'homme engouffra un à un les petits fours, les gâteaux, les fruits. Au ralenti, un air goguenard aux lèvres. Alex déglutit. Mais, qu'est-ce que c'était que cette façon d'agir ? À quoi cet homme jouait-il ? Excédé, Alex ferma les paupières. Lorsqu'il les rouvrit, l'homme avait disparu. Balwinder, Frank, Julie-Anne et Mélodie, qu'il devait dorénavant s'habituer à nommer Myriam, étaient maintenant assis sur le petit tapis persan situé non loin de lui. Ils se racontaient toutes sortes de choses et riaient. Il baissa les paupières afin de mieux gouter leur présence. Et ils passèrent ainsi ensemble le reste de la soirée.

***

La lune s'était couchée et Viateur considérait la scène, avec un calme plaisir. L'assiette bleue posée sur un guéridon, une coupe abandonnée sur le piano, un livre ouvert, les bouquets légèrement défraichis, les guirlandes confectionnées à la hâte.

Julie-Anne voulut grimper sur un tabouret pour les décrocher, mais il l'arrêta :

— Non. Laisse. Elles me rappelleront ces beaux moments. Et puis, la fête n'est pas terminée. J'ai gardé une bouteille de vin mousseux pour clore cette célébration avec vous quatre.

Viateur remarqua Alex, toujours assis dans son fauteuil.

— Et toi, l'ermite ? Tu veux te joindre à nous ? Pas besoin de parler.

Alex déclina d'un mouvement de tête. Simultanément, Julie-Anne s'exclama :

— Oui ! Oui ! Pourquoi ne pas aller la boire au bord de l'océan ? J'ai envie d'entendre la marée changer de direction.

Frank leva un sourcil.

— Changer de direction ?

— Oui, tu sais, la marée monte puis la mer s'immobilise, c'est l'étal. Et puis, la marée descend. Je veux être là pour l'étal.

Drôle de souhait. On ne peut pas entendre l'immobilité des vagues. Et puis, sur les plages, ça puait toujours. Balwinder proposa néanmoins :

— On est tous un peu éméchés, sauf Frank. Frank, tu pourrais conduire mon taxi ?

— Désolé, je chauffe jamais de voiture, depuis que...

Julie-Anne interrompit.

— Mais c'est absurde, Frank. Tu fais fonctionner toutes sortes de grosses machines, une moto !

— Non.

Au grand soulagement de Viateur qui n'avait vraiment pas envie de quitter sa librairie, Julie-Anne céda à cet argument suprême.

— D'accord. On retourne dans la cour ! On va voir si les feuilles du petit chêne vont finir par tomber. Il en reste trois.

Myriam sourit.

— Ah. Toi aussi, tu as remarqué. C'est drôle, je suis complètement partagée. Je voudrais être là au moment précis où elles se détacheront, mais, en même temps, je souhaite qu'elles demeurent accrochées à jamais.

Viateur alla chercher un plateau sur lequel il disposa des coupes, une carafe d'eau citronnée pour Frank et non pas une mais bien deux bouteilles de champagne. Comme un serveur de grand restaurant, il le souleva d'une seule main au-dessus de sa tête. Pas mal pour un vieux matou ! Il se dirigea vers la cour, suivi de Balwinder, Frank, Julie-Anne et Myriam.

Les clochettes de la porte principale résonnèrent. L'ombre d'Alex gravissait les marches de l'escalier en colimaçon. L'ermite les avait quittés. Malgré son silence, il leur manquait déjà.

***

La nuit était immobile, les feuilles toujours bien accrochées à leur petit chêne noueux. Les amis trinquèrent à l'arbre, à la soirée qui s'achevait, aux étoiles, aux fleurs, aux invités, à l'espoir, à la littérature, à la musique et à Alex.

Balwinder posa alors à voix haute LA question :

— Mais pourquoi est-ce qu'il ne parle pas ? C'est incompréhensible pour moi. Dans ma culture et dans ma religion, la fraternité et la vie en société sont des valeurs essentielles. Comment est-ce que quelqu'un peut renoncer au monde et vivre en ermite ?

Viateur se tourna vers Frank :

— Tu le connais, toi. Il était ton prof. Qu'est-ce que tu en penses ?

— Mystère total. Je me souviens d'un beau bonhomme cool. Il faisait toutes sortes de choses cools avec nous. J'ai jamais eu un autre prof comme ça. Il nous amenait voir les saumons dans la rivière, on avait des poussins dans la classe. Il nous montrait des trucs de magie, on faisait des piqueniques sur le tapis…

Ça risquait d'être long cette énumération. Julie-Anne interrompit avec impatience.

— Est-ce que tu sais ce qui s'est passé depuis ? C'est quand même un drôle de choix de vie.

— Aucune idée. Oublie pas que je l'ai pas revu depuis une quinzaine d'années. Mais en fait, j'ai une théorie. Je crois qu'Alex a fait quelque chose dont il est pas fier. Quelque chose qu'il peut pas se pardonner. Peut-être pas vraiment un crime, mais quelque chose de mal. Est-ce que vous comprenez ce que je veux dire ? Peut-être qu'il est devenu ermite pour se punir.

Julie-Anne n'était pas d'accord.

— Non, moi, je ne pense pas qu'il ait mal agi, mais néanmoins je crois qu'il est peut-être recherché par les autorités. Alex pourrait être un fugitif.

Viateur jeta un coup d'œil inquiet vers les fenêtres des édifices qui donnaient sur la cour.

Julie-Anne haussa les épaules et reprit en montant le ton.

— Non, mais franchement, Viateur. Penses-y. Les intellectuels, les rêveurs, les environnementalistes, les artistes… tous, de nouveaux ennemis.

Viateur cracha :

— Ça suffit, Julie-Anne. Il y a peut-être des voisins qui dorment la fenêtre ouverte.

— Viateur, on vient de faire une fête, Myriam a joué du tambour ! Alors, je te parie que toutes les fenêtres sont fermées. À part ça, je t'aime trop pour dire que tu es un peu poltron, mais...

Myriam s'immisça gentiment.

— Vous semblez tous croire que ce choix est quelque chose de négatif. Je ne suis pas d'accord. Avez-vous pensé qu'il s'est peut-être fait ermite pour des raisons spirituelles ? Que, comme nous tous, Alex aspire à la sérénité, à la Vérité ? Que son ermitage pourrait être une pratique religieuse ?

Viateur secoua la tête.

— Il y a une autre possibilité.

— Quoi ?

Viateur hasarda :

— Mon hypothèse est d'ordre médical. Peut-être Alex souffre-t-il d'une maladie, d'une condition socialement inacceptable. Il a décidé de rechercher la solitude pour éviter d'être exposé au regard des curieux lorsqu'il est saisi de ce mal.

— On dirait que tu parles d'un Loup-Garou.

— Ou d'un extraterrestre.

— Moi, je préfère l'idée du Loup-Garou, mais je le verrais plutôt comme un Chat-Garou.

Ils s'esclaffèrent à l'idée du chat-garou. Tous, sauf Balwinder.

— Vous ne l'avez pas du tout.

Le ton de sa voix. Ils cessèrent de blaguer.

— Peut-être a-t-il tout simplement le cœur brisé.

Le silence. La nuit noire.

— Peut-être avait-il épousé une femme extraordinaire. Une femme qu'il avait connue toute petite. Une femme qui lui permettait de vivre avec la candeur et la capacité d'émerveillement d'un enfant. De jouer avec la vie.

Nuit plus noire que noire. Pas de lune. Pas de criquets. Ni même le grondement d'une automobile.

— Peut-être que sa femme était si jolie, sans être jolie. Juste jolie parce qu'elle était elle. Elle chantait quand ils ne bavardaient pas ensemble. Elle était la couleur, elle était la musique, elle était la réalité et le rêve. Elle était véritablement une moitié de lui-même. Sa moitié lumineuse.

La voix de Balwinder s'étrangla.

— Peut-être qu'un jour, elle n'est pas rentrée. Peut-être qu'il s'est dit qu'elle avait dû passer par le terrain vague. Elle trouvait les rayons obliques de la fin du jour vraiment poétiques. Peut-être marchait-elle dans ces rayons. Et qui sait qui l'a attaquée ? Un voyou ou plusieurs ? Et pourquoi elle ?

Balwinder avait des larmes au coin des yeux.

— Peut-être a-t-on soupçonné son mari. Peut-être a-t-il appris sa mort par des policiers au sourire entendu. Peut-être a-t-il pleuré devant eux, à sa grande honte. Peut-être a-t-il eu honte d'avoir honte à ce moment précis. Peut-être a-t-elle été torturée et violée.

Balwinder murmura.

— Peut-être a-t-il tout perdu.

Ils s'approchèrent imperceptiblement de lui. Ils auraient voulu le réconforter, mais ils ne savaient pas comment. Ils retenaient leur souffle.

Tous sauf Myriam. Elle fit un pas vers Balwinder. Le regarda droit dans les yeux. Lui sourit de tout son être, de sa peau même. Alors, il tendit les bras. Elle l'enveloppa des siens. Tout le monde recommença à respirer.

*** .

Un lundi de décembre, Alex eut une mauvaise surprise en arrivant à la banque : on avait changé l'emplacement de son poste de travail et il faisait maintenant face à un des nombreux écrans que les clients pouvaient consulter en attendant leur tour au guichet. On y diffusait des nouvelles en continu. Un ruban sous-titré se déroulait, inexorable, au fur et à mesure qu'on passait des actualités, au sport, au monde de la finance.

*Plus que dix jours avant Noël drones dernier cri mois de novembre le plus chaud jamais enregistré fuite de gaz toxique attentat sanglant petit déjeuner équilibré et savoureux débris enflammés profits mystère des baleines place son armée en état de guerre devenez VIP pour une journée inquiétude des investisseurs sacrifice nécessaire à l'économie nombre croissant des cancers diagnostiqués chez les enfants milliers de guillemots trouvés morts sur des plages de l'Alaska deux*

*suspects de dix ans inculpés pour terrorisme supprime 25 % de*
*sa main d'œuvre.*

Les clients jetaient parfois un coup d'œil distrait à
ces régurgitations catastrophiques mais, en général, ils
préféraient jouer avec leur téléphone. Alex faisait de son
mieux pour éviter de croiser l'écran du regard.

À la fin de la journée, il demanda à rencontrer le gérant.

— Je suis désolé de vous déranger, John, mais j'aimerais
réintégrer mon poste de travail précédent. J'ai de la difficulté
à me concentrer lorsque je fais face à un écran.

John bâilla.

— Alexandre, nos employés se doivent de rester
professionnels en tout temps.

Qu'est-ce que ça avait à voir ?

— Oui ?

— Ne pas se laisser distraire par un simple moniteur,
c'est faire preuve de professionnalisme, avouons-le.
Tu me suis ?

Alex regarda ses souliers. Ils étaient bien poussiéreux.

— Bien sûr, mais…

— Être sociable, se mêler aux collègues, avoir à cœur
d'accroitre les profits de l'organisation pour laquelle on
travaille.

— Oui.

Le gérant haussa la voix d'un cran.

— Oui, qui ?

— Oui, John ?

— Je te trouve un peu familier.

Alex releva brusquement la tête. Mais qu'est-ce que... ?

— Oui, ... monsieur ?

John approuva. Le regard froid. Puis, il balaya l'air d'une main impatiente.

— De toute manière, ce n'est pas vraiment important. J'ai une nouvelle à t'annoncer. Qui, en fait, règlera le problème de ton inhabilité à te concentrer sur ton travail.

Oh oh !

— Une nouvelle ?

Carillon de cloches d'église. John jeta un coup d'œil rapide à son cellulaire.

— Oui, comme tu sais, nos investisseurs s'attendent à ce que nos profits augmentent sans cesse. Ma situation en est devenue presque insoutenable. Je ne peux plus me permettre de garder des employés par simple charité. Il y a des tas de stagiaires qui veulent gagner un peu d'expérience. Et à une fraction du salaire. Bon, tu me vois venir ? Mais tout de même, je vais te faire une faveur.

Alex se regardait les mains. Il avait deux ongles sales. Il les replia hâtivement puis murmura :

— Une faveur ?

— Oui, je vais te garder ici un mois de plus, le temps

que tu te trouves un nouveau boulot, le temps que tu formes Mademoiselle Lavoie. Une stagiaire. La voici justement.

Le gérant sourit à une très jeune femme qui passait, laissant dans son sillage un parfum certainement nommé *P'tit Venimeux*, ou quelque chose du genre. Il ajouta :

— Une fille très sociable du reste. Elle va te sortir de ta coquille. Puis, en plus de ça, je vais te payer la moitié de ton salaire pour lui enseigner la petite routine. Elle va recevoir l'autre partie. Il est juste qu'elle soit quand même un peu rémunérée, tu es d'accord ?

Sans attendre la réponse, le gérant reprit :

— Je m'en doutais. Je parie que tu étais le genre de gars à appuyer les syndicats dans le temps.

Alex avait peine à respirer.

John esquissa un sourire mielleux.

— Et ? … Qu'est-ce qu'on dit ?

— … Merci ?

***

Malgré l'approche du solstice d'hiver, on pouvait toujours passer certaines soirées à l'extérieur. Myriam avait suspendu sa vieille lanterne de camping à l'arbre mort et Balwinder, Frank et Julie-Anne s'étaient tiré des chaises de jardin pour pouvoir lire avec elle sous la lampe, en toute complicité. Alex, qui était petit à petit devenu un ami silencieux, se tenait selon son habitude un peu à l'écart.

Myriam était plongée dans un ouvrage sur les fleurs sauvages déniché dans la section « Beautés » de la librairie. Elle releva un moment la tête pour jeter un coup d'œil aux trois feuilles, toujours bien accrochées à leur petit chêne; son regard rencontra celui de Julie-Anne qui lui adressa un sourire de connivence avant de retourner à Andersen et à sa petite fille aux allumettes.

Myriam examinait une aquarelle de calypso bulbeux, un bien affreux nom pour une plante si délicate, lorsqu'une voix inconnue la fit sursauter.

— J'ai besoin de me trouver un autre travail.

Frank lança son *Tintin* puis le rattrapa d'une seule main, ouvert à la même page.

— Youpi ! Il a parlé !

Julie-Anne se tourna vers Alex :

— Qu'est-ce qui se passe ? Ton poste va être aboli ?

Frank répondit à sa place.

— Il veut plus faire ce boulot minable, évidemment. Une banque, franchement ! Et il était un SUPER prof, je vous jure. C'est ça, sa vocation.

Julie-Anne poussa un soupir.

— Frank. Tout a changé. Il n'y a presque plus de postes depuis la Rectification, sauf dans les écoles privées. À moins qu'Alex ait envie d'être gardien.

— Ben, quoi ? Il pourrait enseigner dans une institution privée.

Myriam coupa court à cet échange.

— Ohé ! Alex est ici en personne et il vient de démontrer qu'il pourrait tout nous raconter de lui-même. Alex ?

— J'ai perdu mon boulot. Ou, du moins, je vais le perdre fin janvier. Une histoire d'écrans. J'avoue que, d'une certaine façon, ça me fait plaisir. Ce travail demandait trop d'interactions.

— Et qu'est-ce que tu aimerais faire ? Idéalement ?

Alex réfléchit.

— J'ai envie de silence et mes besoins sont très modestes. Peut-être un travail de nuit. Peut-être un travail manuel. Ne pas avoir à penser ni prendre de décisions. Et j'évite la politique.

— Il est de plus en plus difficile de trouver un boulot, mais on va rester à l'affut.

— Oui, on va t'aider. Tu peux compter sur nous.

Tout le monde réfléchissait en silence, quand, soudain, un coup de vent secoua l'arbre et fit tomber la lanterne. Myriam se précipita pour voir si elle était cassée et fut soulagée de constater qu'elle n'avait subi aucun dommage.

La nuit avait blanchi : couvert de nuages, le ciel reflétait les lumières de la ville. Myriam n'eut le temps ni de ramasser sa lampe ni d'admirer les cumulonimbus blafards, car ils se déchirèrent et la pluie se mit à tomber à toute volée. Elle glissa son livre sous son chandail pour le protéger, et ils se précipitèrent tous vers la librairie. Sur le pas de la porte, Myriam et Julie-Anne se retournèrent simultanément vers les trois feuilles. Recroquevillées sous l'averse.

***

Il pleuvait toujours.

Il était minuit et il faisait trop douillet dans le lit de Julie-Anne. Elle n'éprouvait aucune envie de se lever pour se joindre aux autres à la librairie. Frank et elle écoutaient ensemble la pluie qui martelait le sol à côté du soupirail. Le plancher de la mezzanine craquait au-dessus de leur tête.

— J'aime vivre dans ma boite, sous cette mezzanine. Entendre les gens qui circulent en haut de chez moi. Ça me réconforte, j'ai de la compagnie même quand je suis seule. Oh ! Je crois que j'ai reconnu le pas de Balwinder, il glisse un peu.

— Et voilà Monsieur Alex qui monte. J'en reviens pas comme il marche fort pour un ermite !

Longue caresse. Les draps frais. La langue de Frank comme un labrador enthousiaste. Qui court partout. Puis s'immobilise. Délicieuse attente. Mmm. Yeux clos. Douceur voyage. Le tournant d'une courbe. Les collines. L'arrêt du baiser. Sur elle, en elle, en ailleurs. Pause. Demi-pause. Soupir. Demi-soupir. Quart de soupir. Huitième de soupir. Seizième de soupir !

Julie-Anne reprit son souffle... et le fil de la conversation.

— As-tu une idée ? Pour son travail ?

— Oui en fait, j'en ai une.

— Oui ?

— Il veut être ermite. Entre parenthèses, je crois pas qu'il le soit, mais en tout cas... Un ermite, il me semble que ça devrait vivre sur une île.

Julie-Anne se leva pour entrebâiller le soupirail. Elle aspira l'odeur du sol détrempé. Elle sentit littéralement ses poumons s'ouvrir comme des plantes mortes de soif. Imagina des nénufars. Mais qu'est-ce que Frank venait de dire ? Ça n'avait pas de sens.

— Une île ? OK ? Et où est-ce qu'on va trouver une île ?

— Reviens au lit et je vais te dire un secret.

Julie-Anne commençait à avoir froid. Elle retourna se blottir contre Frank qui l'enveloppa de tout corps : elle sentit les petites bosses de sa chair de poule se résorber.

— C'est quoi, le secret ?

— Le secret, c'est que j'ai une île, moi.

— Comment ça, t'as une île ?

— En fait, pas vraiment toute une île. Et pas tout à fait à moi non plus.

Elle ne put s'empêcher de sourire. Il reprit :

— C'est mes parents. Ils avaient acheté avec des copains un grand terrain sur Saturna. Dans le temps, il y avait des ferries. On passait nos étés là.

— Sur Saturna ?

— Mes parents avaient bâti une cabine toute simple, complètement en haut d'une montagne. Ils avaient même installé un petit four à bois dedans pour quand il faisait frais. Moi et mes amis, on dormait dans des tentes. C'était vraiment le fun. On faisait la cuisine dehors sur un barbecue ou sur un feu de camp. J'adorais les feux de camp. Toi ?

— J'ai eu une jeunesse compliquée, tu sais. Pas de feu de camp. Seulement dans les livres.

— Non, je sais pas. Parce que tu ne m'as jamais vraiment tout conté. Ta vie, Julie-Anne, c'est un mystère. Je sais même pas comment tu as rencontré Viateur.

— Ça viendra, Frank. Mais plus loin dans cette histoire. Je te le promets. On parlait de ton chalet. Qu'est-ce qui s'est passé ?

— Bof. D'abord : les déversements de pétrole. C'est surtout ça, finalement. Le réchauffement climatique : les puits d'eau fraiche qui se sont taris. Puis les compagnies de traversiers qui ont fait faillite. Je continue ?

— Non. Je vois. Mais, tes parents, pourquoi est-ce qu'ils n'ont pas vendu le chalet ? À quoi ça sert un chalet, si on ne peut pas y accéder ?

— À rien. C'est pour ça que c'est invendable. Mais, comme je t'ai dit, ça coute trop cher, c'est compliqué pour y aller. En tout cas, le fait est que j'ai une cabine sur une ile et que je le prêterais, je le donnerais même, à Alex. Y parait que les choses se sont rétablies un peu. Tout ce qu'on aurait à faire, c'est de trouver le moyen de le conduire là, Alex. Et il aurait besoin de provisions pour commencer.

Julie-Anne soupira. Un long soupir excédé.

— Alors, tu veux qu'on amène Alex sur une ile déserte ? Parce qu'elle doit être déserte. Et comment est-ce qu'il va s'y prendre pour l'eau ?

— Il serait pas tout seul. Il y a peut-être encore des chèvres. Ça mange n'importe quoi des chèvres. Il pourrait les chasser. Et l'hiver, il pourrait collecter la pluie.

— Chasser des chèvres. Alex ? Avec son couteau suisse, peut-être ? Et la collecte de l'eau, c'est illégal, Frank.

— TOUT est rendu illégal. Ils vont quand même pas aller vérifier jusque-là, hostie !

Les pupilles de Frank luisaient, humides, dans la pénombre. Quel était ce mot pour « ver luisant » encore ? Un mot intéressant. Ah oui… Lampyres. Comme lampion. Les yeux de Frank à cet instant précis : des lampyres sous la pluie.

***

La nouvelle année était arrivée et le mois de travail en tandem avec Mademoiselle Lavoie achevait. Mademoiselle Lavoie. Il l'avait surnommée La Voix. Et quelle voix ! En forme de camion de pompier ! D'ici dix minutes, il pourrait enfin échapper au bavardage parfumé de sa collègue, à son éternel sourire vermeil et blanc criard. Si Alex n'avait pas été aussi inquiet au sujet du loyer, il aurait sauté de joie.

Tiens, pourquoi ne pas faire la file à son propre guichet ? Il désirait retirer ce qui restait dans son compte et le fermer. Il n'avait certainement plus envie de faire affaire avec cette foutue banque. Lorsque son tour arriva, La Voix lui tendit quelques billets, puis elle jeta un coup d'œil à son écran :

— Il veut savoir si tu as trouvé un autre emploi.

— Qui ça ?

— L'ordinateur.

— Non.

— Oui, je te jure que c'est l'ordinateur.

Alex sourit.

— Je voulais dire : non, je ne me suis pas trouvé de nouveau boulot.

— D'accord. Quelle est ton adresse électronique ? Pour les papiers.

— Je n'en ai pas.

— Ah oui... Ça, c'est pas ordinaire ! OK. Alors je vais te faire une faveur. Je vais t'imprimer un formulaire, mais tu devras aller le porter, en personne, au Bureau des Citoyens, dès que possible.

La machine cracha une imposante liasse de papier que La Voix lui remit. Alex feuilleta rapidement le document. Au moins vingt des trente pages étaient complètement inutiles : des instructions. Il savait comment remplir un formulaire, bordel ! Il fourra l'argent qui lui restait dans sa poche et se retourna. L'écran l'attendait de pied ferme. Il lui jeta à la tête une information des plus importantes : s'il buvait une bonne bière froide de marque *Troubadoure*, sa vie serait transformée. Alex ne put s'empêcher de passer quelques secondes à contempler ce magnifique verre aux contours ma foi fort féminins, avant de se diriger vers l'arrière pour se débarrasser du questionnaire que lui avait donné La Voix.

Lorsqu'Alex ouvrit la porte de la cour où se trouvait le recyclage, il eut conscience d'un mouvement, comme si d'énormes pigeons effarouchés s'étaient dispersés à la hâte. Il regarda autour de lui. On avait laissé le bac à déchets déverrouillé. Quelqu'un s'était servi, avait échappé par terre des papiers graisseux, une croute de pizza. Il était pourtant illégal de nourrir les sans-abris, même sans le faire exprès. Tout d'abord, Alex craignit qu'on l'accuse et il voulut retourner à l'intérieur prévenir « Monsieur » John. Puis non, tout ceci était trop absurde. Il mit le document au broyeur-recyclage.

La tête lui tournait, il s'assit sur le pas de la porte. Quand avait-il mangé pour la dernière fois ? Quand avait-il cessé de comptabiliser chacune des calories qu'il ingurgitait ? Il ferma les yeux mais perçut tout de même une nouvelle ombre qui planait; il releva brusquement la tête. Non. Rien. Ni nuages ni goélands. Alex eut soudain la certitude que jusque-là, un voile l'avait recouvert mais qu'il s'était soulevé et avait flotté au loin. Il scruta le firmament à la recherche de quelque chose d'inusité. Mais quoi ? Il nota avec intérêt que le ciel était véritablement bleu, se laissa envahir par ce bleu. Il n'avait pas fait cette expérience intense de l'azur depuis qu'il était enfant.

Tiens, cette question de loyer avait cessé de le tracasser. Presque inquiet de ne plus être inquiet, il émit un petit rire. Puis eut envie de commettre un geste à la fois futile, incompréhensible, complètement déraisonnable et émancipateur. Alex sortit de sa poche les billets de banque : c'est tout ce qui lui restait. Il les chiffonna et les jeta par terre, entre les détritus et la croute de pizza.

*Voilà pour vous, les oiseaux ! Petits. Petits. Petits ! Venez vite vous servir. Ne tardez pas et, surtout, ne vous laissez pas rattraper : la sombre main de la cupidité n'est jamais loin.*

Alex avait l'impression exaltante d'être assis sur une balançoire à bascule, les pieds dans les airs, à mi-chemin entre la libération totale et une anxiété fondamentale. Il atterrit avec précaution.

***

Il aurait fallu qu'Alex se mette immédiatement à la recherche d'un nouvel emploi : le loyer de février était bientôt dû. Mais il se complaisait dans cet âpre suspense, cette longue hésitation qui, il le savait bien, ne pourrait avoir que des conséquences désastreuses s'il ne s'attelait pas immédiatement à la tâche. Et il voulait s'y mettre. Oui. Mais pas tout de suite, il préférait se tenir en équilibre sur un fil de fer. C'était une sensation tout à fait nouvelle pour lui.

On arriva à la fin janvier. Cet après-midi-là, la pluie avait cessé et Alex errait dans la ville. Que la cité était laide sous la lumière crue et métallique de l'hiver ! Qu'importe.

Plongé dans ses réflexions, Alex finit éventuellement par se perdre. Et se retrouva, tout à fait par hasard, devant les bureaux du Ministère des Citoyens où il aurait dû remettre le questionnaire jeté au recyclage la semaine précédente. Peut-être serait-il plus sage de monter et de les remplir, ces maudits papiers. Lui en fournirait-on gratuitement de nouveaux ?

Comme il allait emprunter l'escalier menant à la porte principale, il aperçut une grande vitrine au ras du sol. Elle était surmontée d'une enseigne : « École Modèle Red Sky Financial ». L'édifice abritait donc également une école. Peut-être pourrait-il observer une classe par cette fenêtre ?

Alex redescendit se planter devant la vitrine. La salle, bien éclairée, était immense. On avait prévu au moins deux mètres de distance entre les pupitres. Il était ainsi certainement plus facile de contrôler le bavardage des élèves. Le plancher brun chocolat ciré lui rappela qu'il avait faim. Une centaine d'écoliers faisait sagement face à leurs écrans individuels. Plusieurs portaient des écouteurs. Un gardien à l'air las circulait entre les rangées.

Mais que faisaient donc ces enfants ? Une autre affiche, semblable à celles qui avaient remplacé les guides sur les rares sites touristiques des parcs nationaux, exposait le fonctionnement de l'école. « VOS dollars à l'œuvre. De façon responsable. » Un système informatisé préparait un programme individualisé pour chaque élève et gardait en mémoire toutes les données pour envoyer automatiquement aux parents des rapports réguliers. Tout était soigneusement conçu. Une piste de course avait même été aménagée autour de la salle, afin que les enfants joggent pendant les récréations.

Alex continua à parcourir le panneau. Les bons écoliers étaient récompensés grâce à une généreuse contribution charitable du « partenaire du mois », une lumière rouge s'allumait lorsqu'un élève n'avait rien accompli depuis plus de 15 minutes.

Alex soupira et interrompit sa lecture. Il ne désirait vraiment pas savoir comment on punissait les enfants si la lampe s'activait. C'était exactement cette façon de voir le monde qui l'avait... Trop tard ! Une ampoule clignotait au-dessus du quatrième pupitre de la dernière rangée. Une petite rousse à l'air buté venait d'arracher ses écouteurs. Elle s'était retournée vers le dossier de sa chaise en pleurant à gros sanglots. Le gardien se dirigea aussitôt vers elle. Il lui chuchota quelques mots au creux de l'oreille et elle se leva docilement. Trop docilement. Le surveillant téléphona et un jeune homme vint chercher la petite fille. Pour l'amener où ?

Le son d'une cloche annonçait la récréation et les enfants se précipitèrent autour de la salle. Un message enregistré, qu'Alex put entendre d'où il se trouvait, précisa que tous DEVAIENT courir dans le sens des aiguilles d'une montre. Ce faisant, les élèves s'époumonaient, se poursuivaient les uns les autres, gambadaient avec un partenaire qu'ils tenaient par la main. Dieu merci, ils se comportaient toujours comme des enfants !

Alex remarqua une petite fille avec une natte qui lui descendait jusqu'au milieu du dos. Ses cheveux blond cendré et très pâles donnaient l'impression qu'elle était albinos. Mais ce n'était pas le cas, même de loin Alex put constater que, tout comme Viateur, elle avait les yeux d'un vert très clair. Son instinct d'ancien professeur lui signala que quelque chose se tramait. Il attendit la suite.

Une sonnerie marqua la fin de la récré et les enfants se dirigeaient vers leurs ordinateurs où défilaient des publicités pour des céréales. La fille aux cheveux cendrés traversa la classe au pas de course. Elle se mouvait si gracieusement et souplement pour se faufiler entre les autres élèves que personne ne sembla la remarquer. Elle allait pourtant tout droit vers la porte qui venait de s'ouvrir, pour laisser passer un jeune surveillant.

La fille se glissa prestement entre ses jambes et s'échappa. Sa longue tresse zigzagua, un éclair, quand elle franchit le seuil de la classe avant d'émerger à l'extérieur de l'édifice, le surveillant à ses trousses. Lorsqu'il aperçut Alex, il lui fit signe. Alex hocha la tête : « Ne vous inquiétez pas, je vais la rattraper. » Le gardien leva le pouce et, à la grande surprise d'Alex, rentra aussitôt à l'école.

La tresse argentée se dirigeait, comme une flèche, vers une cible secrète. Et Alex la suivait. Pourtant, il n'avait aucunement intention de la ramener à cette horrible école. Mais où allait-elle ?

Ils couraient depuis environ quinze minutes. De temps en temps, celle qu'il appelait maintenant *Flèche Argentée* jetait un regard pistache vers Alex, comme une invitation à continuer à la suivre, car il était clair qu'il ne la poursuivait pas. Elle était agile et forte, mais Alex gardait la cadence. Il se félicita d'avoir su rester en forme, même s'il avait renoncé au sport.

Elle se retourna de nouveau, comme pour l'enjoindre à ne pas abandonner, avant de pénétrer dans une longue ruelle encadrée d'immenses tours dénuées de fenêtres; probablement des édifices où on menait de mystérieuses recherches. Ils étaient si hauts que le jour en était tamisé, comme si on avait soudain traversé l'après-midi pour se retrouver à la brunante. Les murs étaient couverts de touffes de verdure et, au passage, Alex en caressa une de la main. C'était de la mousse fraiche.

Les bruits de la ville s'étaient graduellement emmitouflés et puis éteints. La ruelle semblait se poursuivre à l'infini, mais Flèche Argentée avait ralenti. Ils marchaient l'un à la suite de l'autre quand un murmure de musique flotta jusqu'à eux. Flèche Argentée adressa un clin d'œil rempli de gentillesse à Alex qui, de toute sa vie, n'avait jamais réussi à faire de clins d'œil et en ressentit une pointe d'envie.

On pouvait maintenant distinguer une forme incongrue, un objet mouvant. De plus près, Alex constata qu'il s'agissait d'un tout petit carrousel ancien, mais on y avait remplacé les chevaux traditionnels par un éléphant, une licorne, une libellule, une coccinelle et un poussin.

Une femme vêtue de pantalons à la turque, d'une veste à paillettes roses et d'une superposition de foulards ornés de dentelle, pédalait sur une bicyclette stationnaire, à côté du manège. Quel drôle d'endroit pour faire du vélo d'exercice… ah ! mais c'était la cycliste qui faisait tourner le carrousel grâce à un système de poulies. Astucieux !

Un homme gambadait ici et là en chantant de
vieilles ballades dans une langue inconnue et charmante.
Il s'accompagnait à l'accordéon et sa voix de baryton
réverbérait haut et fort sur les édifices. Lorsqu'il cessa, la
femme arrêta aussi de pédaler et le dispositif s'immobilisa
graduellement. Les enfants descendirent en criant de
plaisir et retournèrent vers leurs parents. Ces gens-là ne
travaillaient-ils pas ?

Flèche Argentée s'était jointe à trois petits garçons qui
attendaient leur tour. « Où est ton chapeau ? », lui lança
joyeusement la femme cycliste « Tu sais bien que tu dois t'en
choisir un pour pouvoir monter. » Sur une patère étaient
accrochés un sombréro, un chapeau de sorcière, un tricorne
à grelots, un béret picoté, un bibi rouge à voilette, un
canotier de paille, un haut-de-forme, un bonnet de nuit...
Flèche Argentée s'empara d'un bonnet d'âne pointu dont elle
se coiffa malicieusement avant de sauter à dos d'éléphant.

Quel joli tableau crépusculaire ! Les gambades loufoques
du chanteur à barbiche, cinq enfants sur un manège, des
adultes à l'air ébloui. Alex crut reconnaitre une toile qu'il
avait admirée dans une galerie quelque part lors d'un
voyage, mais il n'arrivait plus à replacer le nom qu'avait eu ce
pays. Un pays qui n'existait probablement plus aujourd'hui.

« Il faut absolument que j'emmène Mélodie-Myriam
ici ! » se dit-il, avant d'emprunter à nouveau le corridor
de béton qui le ramènerait vers le gris sale de l'après-midi
urbain.

Quelques pas. Alex s'immobilisa. Se retourna pour jeter un dernier regard. Flèche Argentée lui envoyait la main. Il décida alors de marcher à reculons afin de jouir du spectacle le plus longtemps possible. L'image s'estompa puis disparut, comme un mirage encadré d'immenses monolithes.

***

Il s'était remis à pleuvoir et, lorsqu'Alex parvint enfin à retrouver la librairie, il faisait déjà noir. Trempé, Alex s'immobilisa sous l'auvent devant la porte vitrée et observa Viateur qui sortait de l'arrière-boutique et se dirigeait vers le comptoir, un bol de soupe fumante à la main. Il semblait soucieux mais, lorsqu'Alex fit son entrée, sa figure s'illumina d'un grand sourire accueillant.

— Ah, Alex ! Tu as faim ?

— *Et soif, surtout soif !*

— Assieds-toi là, je reviens.

Quelques minutes plus tard, Viateur le rejoignait avec un plateau sur lequel étaient posés un autre bol de soupe, du pain, de l'eau, un morceau de fromage.

— J'ai l'impression que tu ne te permets pas le fromage. Mais le reste, ça te convient ?

Alex acquiesça et ils entamèrent leur repas. Délicieux silence.

Soudain, Alex sursauta et se précipita vers le sac à dos qu'il avait laissé dans l'entrée. Il l'ouvrit, y fourragea un peu avant de retrouver le manuscrit que lui avait confié Julie-Anne la dernière fois qu'il avait passé une soirée à la librairie. Pourquoi avait-elle choisi de lui faire lire son roman, à lui qui ne parlait pas et ne pouvait lui donner un avis ? Il n'en savait rien mais n'en demeurait pas moins flatté.

Ouf, le manuscrit n'était pas mouillé ! Il l'emporta au comptoir, se rassit. Avait-il rêvé ou un tout petit nuage de jalousie venait-il d'assombrir les pupilles de Viateur ? Oh… et Viateur avait bel et bien le regard pistache de Flèche Argentée.

— Alors, tu as aimé ? Quel honneur que d'être le premier à le lire !

— *C'était incroyable. C'était tout à fait comme si j'étais là, DANS l'histoire !*

— Oui, je sais bien. Elle a beaucoup de talent. Et *Flèche Argentée*, c'est un joli titre.

— *Oui, c'est un titre acceptable. Mais, l'intrigue ! Comment s'y prend-elle ? Je te jure : ce qu'elle a écrit est en quelque sorte une de MES réalités.*

— Tes réalités… Je me doutais que ce serait assez mystérieux. Tu permets ?

— *Bien entendu.*

Au moment où Viateur tendait la main vers le manuscrit, la porte située sous l'escalier menant à la mezzanine s'ouvrit en grinçant et la tête de Julie-Anne apparut. Ses cheveux cumulus, son sourire Cheshire…

— Ah, Alex ! Et ? Qu'est-ce que tu as pensé de *Flèche Argentée* ?

— *Tout à fait merveilleux.*

Viateur traduisit.

— Il a ADORÉ ! Et moi ? Je peux le lire maintenant ?

Il feuilletait déjà le document. S'arrêta à une page.

— Alex, est-ce que c'est toi qui a dessiné ceci ?

Embarrassé, Alex fit signe que oui. Même s'il s'était promis de ne plus dessiner, il n'avait pas su résister.

Viateur tendit le manuscrit à Julie-Anne. À l'envers de la page-titre, Alex avait en effet esquissé un croquis au crayon, le portrait de *Flèche Argentée*. Les yeux de Julie-Anne s'ouvrirent bien grands. Et elle murmura :

— Mais, c'est ma mère quand elle était toute petite. Je la reconnais enfin... Mais qu'est-ce qu'elle fait là ? Maman ?

\*\*\*

Entre l'appartement et le port, Frank effectua un crochet par la librairie. Il éprouvait un urgent besoin d'embrasser Julie-Anne. De l'escalier en colimaçon, il aperçut d'emblée le crâne de Viateur et celui, un peu moins bien garni, d'Alex. Il descendit trois marches : à leur côté, Julie-Anne souriait, une liasse de papiers à la main. Avant d'entrer, Frank marqua une nouvelle pause. Il eut l'impression de regarder un vieux téléviseur, avec des gens qu'il aimait dedans, des amis qui seraient contents de le voir. Il ouvrit la porte.

— Allo ! Julie-Anne, ton manuscrit... Tu as choisi un titre ?

— *Flèche Argentée.*

— *Flèche Argentée* ? Sérieusement ?

— Oui. Tu n'aimes pas ça ?

Frank haussa les épaules.

— *Flèche Argentée*, c'est vraiment quétaine, Julie-Anne !

— Quoi ?

— Ça me fait penser aux camps scouts.

Abasourdie, Julie-Anne en oublia l'insulte.

— Tu étais chez les scouts, toi ? Les camps scouts ?

— En fait, les Louveteaux. J'ai été renvoyé de chez les scouts. En tout cas... Il fallait qu'on choisisse un surnom. Moi, j'avais pris *Aigle Courageux*. Mais, plus tard, j'ai fait une quête de vision et j'ai trouvé un autre nom.

Frank ? Une « quête de vision » ? Julie-Anne ne pouvait laisser passer cette remarque.

— Une quête de vision ? Ça fait tellement Côte Ouest du vingtième siècle !

— Qu'est-ce que c'est une quête de vision ? demanda Viateur

Julie-Anne consulta son téléphone :

— « La quête de vision était un rite de passage dans certaines cultures Autochtones. Seul face aux éléments, en pleine nature, pour une période pouvant aller d'une seule nuit à plusieurs jours, le jeune cherchait à avoir une vision qui l'aiderait à trouver son but dans la vie. Cette image ou hallucination nécessitait souvent par la suite une interprétation par les ainés. La quête de vision (ou quête spirituelle) pouvait être une expérience assez éprouvante, car l'individu se retrouvait face à lui-même. Elle avait pour but de l'amener à confronter ses démons intérieurs dans le but d'en ressortir transformé.» Wow ! C'est ça, Frank ? Tu as fait ça, toi ?

— Oui. Passons ! Je te raconterai une autre fois. Mais en tout cas, pour revenir au camp : il y avait aussi Abeille Majestueuse, Écureuil Timide, Pinson Bavard, Crabe Fringuant...

Julie-Anne s'esclaffait tandis que Frank poursuivait, imperturbable.

–... Corbeau Miroitant, Grenouille Enchanteresse, Belette Vibrante, Papillon Désemparé...

Viateur lança :

— Raton-laveur Rocambolesque !

Et Frank rétorqua :

— Jaguar Miteux !

Le duel s'engagea.

— Orque Joviale !

— Libellule Gourmande !

— Cactus Amical !

Comme une spectatrice à une joute de pingpong, Julie-Anne suivait les réparties. Parfois, au passage, elle saisissait un mot pour l'examiner un moment. Puis elle le relâchait et il voltigeait dans la librairie avant de s'effacer.

— *Frank Surprenant, Amis Rigolos, Joie Éphémère...*, se dit Alex.

\*\*\*

Pourquoi Michael Gallie l'avait-il orienté vers la grève plutôt que vers la forêt ?

Son copain Nicolas, pour sa part, passait la nuit dans les bois. La plage, ça semblait assez anodin par comparaison. Il se trouvait en territoire connu, y avait fait des piqueniques, en avait exploré toutes les crevasses à la recherche de petits crabes. Pourtant, Michael l'avait spécifiquement déposé sur la grève pour sa quête de vision. Ne croyait-il pas en son courage ?

Il admirait ce vieil ami de la famille, ce psychologue chaleureux à l'air bon enfant. Lorsque celui-ci avait suggéré à ses parents qu'il entreprenne une quête de vision, il n'avait même pas trouvé ça stupide et avait accepté. Après tout, il pouvait se considérer chanceux de ne pas s'être retrouvé dans un centre pour jeunes délinquants après ce qui s'était produit. Et pourtant, il n'avait pas causé l'accident. Il avait juste été là, au mauvais moment, avec la maudite voiture « empruntée » aux voisins. Et il n'était pas criminellement responsable, c'est ce qu'on lui avait dit. Mais, sans répit, il rejouait l'épisode en boucle dans sa tête : *le père qui s'était retourné pour appuyer sur le bouton du passage à piéton, la bambine rieuse qui courait devant lui, plus vite que lui, la panique de son papa qui cherchait à la rattraper...*

Il n'en pouvait plus de vivre cette honte ! La mort était-elle la seule façon d'échapper à lui-même, à ce souvenir atroce ?

Les rochers étaient glissants. Il trébucha, chuta sur les barnaches, y déchira son pantalon. Son genou élançait. Il voulut y appliquer un peu d'eau salée. Le clapotis des vagues lui permit de s'orienter vers la mer, les orteils à tâtons. Il s'immobilisa. Voilà que, pour combien de temps, trois minutes, peut-être même cinq, il avait oublié de s'enliser sous les remords.

Il était maintenant tout près de l'eau, l'estomac comme plein de pierres. S'il tombait, il se noierait certainement. C'était trop lourd. Il s'assit et commença à cracher de toutes ses forces. Il s'imagina que les décharges de salive étaient les mauvais coups, les drogues et l'alcool qu'il avait ingérés, le visage décomposé de sa mère. Il voulait les expurger, qu'ils n'aient jamais existés.

Le son des vagues l'entourait de toute part. Comment était-ce possible ? Il aurait dû être capable de s'orienter par rapport à l'océan. Il s'accroupit, posa les mains sur le sol. Des algues poisseuses. Il glissa de nouveau. Où se trouvait-il exactement ? Il avait perdu tout repère et essaya de ne pas céder à la panique.

*La petite fille qui courait vers le boulevard, toute joyeuse.*
*Le père qui hurlait, lancé à sa poursuite. Le choc sur les roues.*
*Et lui, lui, la tête appuyée sur le volant. Qui ne pouvait se*
*résoudre à sortir de la voiture pour constater. Qui savait déjà.*

Il ferma les yeux, mais il n'en vit la scène que plus
clairement. Il prit cinq respirations profondes, comme le lui
avait enseigné Michael.

Une brise s'était levée. Il frissonna. Serait-il capable
de trouver un coin pour se reposer ? Il se releva, retomba
et, à son immense surprise, il se mit à pleurer. Longtemps.
Rageusement. Puis, le rythme des sanglots diminua peu à
peu. Il rampa à quatre pattes sur les cailloux durs et ronds,
dans la vase, sur la glaise, jusqu'à ce qu'il trouve un de ces
rochers sablés par la mer, doux et presque confortable. Il
s'allongea. Ruisselant d'eaux salées. D'océan, de morve, de
larmes. Mais il avait bien trop froid pour dormir. Il s'assit,
entoura les genoux de ses mains et il attendit.

Ses yeux s'étaient habitués à la noirceur et il pouvait
maintenant distinguer le va-et-vient des vagues, les rochers
sur la plage, le ciel et ses nuages. Il sentit la faim qui lui
tenaillait l'estomac. Qu'importe. Il n'est pas si grave d'être
affamé lorsqu'on sait que c'est temporaire. La faim, la soif,
son genou écorché n'étaient en fin de compte que des
sensations transitoires. Comme les erreurs ? Et la honte ?
Cesseraient-elles de le harceler aussi un jour ?

La mer s'entrouvrit et un grand chien labrador en sortit.
Il pouvait distinguer son poil lustré, des yeux intelligents,
son élan enthousiaste, un esprit enjoué. Mais qu'est-ce qu'un

chien pouvait bien faire là ? Pourquoi un labrador jouait-il dans les vagues en plein milieu de la nuit ? « Hé, toi ! », dit-il gentiment à l'animal qui était maintenant tout près de lui. Au son de sa voix, la bête s'immobilisa. Ses pupilles brillaient, affolées. Il put littéralement voir la peur s'emparer d'elle, parcourir son pelage. Et, en un grand mouvement souple, l'animal se transforma en phoque qui glissait à la hâte sur les roches hérissées de barnaches, pour s'engouffrer dans l'océan.

Le lendemain. Autour du feu de camp avec Michael Gallie, ses parents et Nicolas, le garçon recevrait son nouveau nom : Loup Marin.

*\*\**

Julie-Anne éteignit sa tablette et se tourna vers Frank. Il semblait suffoquer.

— Frank ? Qu'est-ce que tu as ? Qu'est-ce qui se passe ?

— La quête…

— La quête ?

— Julie, est-ce que c'est vraiment toi qui as écrit ça ?

— Oui. Pourquoi ?

— Mais, c'est pas possible, je t'ai jamais raconté mon histoire.

— Qu'est-ce que tu veux dire, TON histoire ?

— Ben oui. La quête de vision. Mais, comment est-ce que ça peut ?

— Attends une minute ! Est-ce que tu es en train de me dire que mon texte relate quelque chose qui t'est vraiment arrivé ? TA quête de vision ?

— Oui.

— Je suis meilleure que je pensais !

— Sans farce, Julie. Je suis complètement déboussolé. Tu as écrit un de mes plus souvenirs les plus intimes, sans même que je te le raconte. Comment t'expliques ça ?

Julie-Anne le considéra avec une grande tendresse :

— La curiosité. L'empathie. L'amour. L'art qui s'amuse à défier la logique.

Silence. Julie-Anne prit Frank dans ses bras.

— Heureusement que ce Michael Gallie était là.

— Oui. Je sais. Finalement, sans lui et sa quête de vision je crois que je me serais suicidé. Honnêtement. Il y avait une grande main noire au-dessus de moi, je pouvais plus y échapper. Ça semblait venir de l'extérieur, mais c'était vraiment à l'intérieur. En moi.

— Je comprends. Si tu savais comme je comprends.

Une longue pause. Julie-Anne reprit :

— Hé, Frank ? C'est pour cela que tu trouvais le titre de mon roman un peu cucul tantôt ? *Flèche Argentée*, ça ressemblait trop à ton *Marin Loup* ?

— *Loup Marin*. Oui. Probablement. Mais tu sais quoi ?

— Quoi ?

— La quête de vision. Ça m'a réellement aidé. Je me suis rendu compte que tout était temporaire, que j'avais le droit de me pardonner. Que j'étais pas obligé d'être un mauvais garçon ! Je me suis repris en main. J'ai changé. Et puis, *Loup Marin*, c'est joli, non ?

Le visage de Julie-Anne se fit espiègle.

— Oui, je suis au courant, Frank. Je l'ai moi-même utilisé dans mon texte.

— Ton texte... ou le mien...

Ils s'entrelacèrent. Ils restèrent ainsi un bon moment.

— Au fait, Julie-Anne ? J'ai l'impression que tout ce que tu inventes, ça existe déjà quelque part. Balwinder m'a dit que tu avais écrit une scène qu'il venait de vivre, avant même qu'elle se produise. Alors, Flèche Argentée, qui est-ce exactement ?

— Je ne suis pas certaine. Ma mère peut-être. J'ai grandi dans toute une série de foyers d'accueil et je ne l'ai jamais rencontrée.

— Est-ce qu'elle est encore vivante ? Est-ce que tu sais où elle est ?

— Je l'ai cherchée longtemps et finalement je crois bien l'avoir trouvée.

— Hein ? Où ça ?

— Dans ma tête.

Frank caressa la tête de Julie-Anne. Sa lampe magique... Tout doucement.

Il fallait faire attention, car là, quelque part sous cette chevelure rousse, se tapissait la maman de Julie-Anne.

***

Alex jouait au Scrabble avec Viateur, Frank et Myriam. Pour des adeptes de littérature, ils étaient vraiment pourris à ce jeu. Do, ré, mi, fa, sol, la… toutes les notes de la gamme y étaient passées. Puis des mots de trois ou quatre lettres, ponctués d'interminables attentes au cours desquelles Frank pitonnait sur son téléphone.

C'était une nuit comme les autres à la Librairie des Insomniaques. Les clients arrivaient, se saluaient parfois, s'installaient sur des coussins ou sur les fauteuils, lisaient debout entre deux étagères ou dans un des escaliers qui menaient à la mezzanine. Ils achetaient à l'occasion un ouvrage. Une femme entra et Alex reconnut celle qu'il avait surnommée Banane Sympathique à la fête de la lune bleue. Elle s'assit, le dos bien droit, sur le rebord d'une chaise ancienne aux pieds recourbés. Malgré cette pose rigide, elle paraissait à l'aise et décontractée. Cette chaise lui convenait tout à fait.

De temps en temps, Banane Sympathique jetait un regard vers la porte vitrée. Elle attendait probablement son compagnon, celui avec qui elle avait dansé lors de la fête. Est-ce que ça faisait déjà trois mois ? Cette histoire d'amour se déroulait décidément au ralenti; comme certaines chorégraphies modernes où on a toujours peur de voir les gens s'affaisser, tant ils bougent lentement. C'était pourtant agréable à observer; il n'y avait aucune hésitation de la part de, appelons-le *Danseur Bedonnant*, ni de Banane Sympathique. Ils allaient l'un vers l'autre avec une calme certitude qu'Alex leur enviait. Il considéra Myriam. Elle semblait soudain si loin de lui.

Les clochettes retentirent et Danseur Bedonnant fit son entrée. Son amie lui tendit un bouquin :

— Regarde, cet étrange livre. Fascinant. Mais pas d'auteur. Et je n'arrive pas à décider si c'est de la fiction ou pas.

Les moustaches de Viateur se hérissèrent littéralement. Il jeta ses lettres de Scrabble sur la table et se dirigea immédiatement vers la femme.

— Excusez-moi. Pourriez-vous me passer ce livre ? Peut-être puis-je en déterminer l'auteur.

— Il semble que ça ait été écrit par ce très célèbre Anonyme.

Comme si elle s'excusait. Pourtant, c'était drôle. Pourquoi fallait-il toujours qu'elle semble demander pardon ? Alex eut envie d'aller lui chercher un ouvrage de croissance personnelle. Julie-Anne aurait su recommander quelque chose, mais elle n'était pas encore sortie de son studio.

Banane Sympathique remit le livre à Viateur, qui l'emporta immédiatement vers l'arrière-boutique. Il paraissait avoir peur de ce livre. Pourquoi ? Qu'importe, Alex avait d'autres chats à fouetter. Il n'avait plus d'argent.

Plus du tout. Et probablement plus d'appartement non plus. Plongé dans la lecture de *Flèche Argentée*, il avait tout oublié et le premier du mois tombait... aujourd'hui. C'était bien stipulé sur le contrat : un seul jour de retard et le couperet s'abattrait. Il imagina ses affaires détrempées par la pluie, sur le trottoir. Les piétons qui y jetaient des regards curieux, qui détournaient la tête. Alex avait passé sa vie entière à tout organiser pour éviter ce type de situation. Et voilà qu'il s'était quasiment vautré dedans. Il n'avait certainement rien fait pour l'empêcher. Au contraire. Alex en ressentit un sentiment d'impuissance totale qui était paradoxalement libérateur.

Comme s'il pouvait lire ses pensées, Viateur réapparut dans la pièce et lui demanda :

— Au fait, Alex. Est-ce que tu as trouvé un nouvel emploi ?

— *Non.*

— Ça t'inquiète ?

— *Un peu.*

— Ne t'en fais pas. On cherche tous à te dénicher quelque chose. En attendant, je peux te dépanner, au moins quelques semaines.

— *Vraiment ? Quoi ? Je ne voudrais surtout pas te déranger.*

— Cela nous aidera tous les deux. Alors, voilà : je dois subir une opération, dès qu'il y aura un lit disponible.

— *Une opération ! Tu es malade ?*

— Non, non. Rien de sérieux, ça ne vaut pas la peine d'en parler. Mais je vais devoir m'absenter et puis reprendre mon travail petit à petit par la suite. En fait, j'ai déjà besoin qu'on m'assiste.

— *Je serai content de t'aider. Et il n'est pas question que tu me rémunères.*

— Ah, non. J'insiste. Je vais te payer et t'offrir la nourriture. Cependant, j'avoue que ce salaire ne sera pas très élevé car le prix de mon opération est astronomique.

Alex acquiesça et Viateur reprit.

— Pour le moment, j'ai besoin que quelqu'un fasse le ménage pendant la journée. Quand je serai parti, il faudra que tu t'occupes de la librairie. Et puis, aussi...

Viateur baissa la voix.

— ... je veux que tu gardes l'œil ouvert pour découvrir qui ajoute secrètement des livres sur les étagères.

Myriam lança malicieusement.

— Ah, les fameux livres !

Viateur chuchota.

— Myriam, je lui expliquerai plus tard. Alex, ça te convient ?

Alex hocha la tête. Intéressant : à peine venait-il de perdre emploi et logis que déjà le problème de la nourriture était réglé. Pourquoi avait-il passé toute sa vie à s'en faire autant ? Viateur lui fit signe de le suivre.

Tout comme ils quittaient la pièce, Myriam interjeta :

— Mais j'y pense. Les compagnies d'habitation n'acceptent aucun retard. As-tu toujours ton appartement ?

— *Pas vraiment.*

Viateur posa la main sur le bras de l'ermite.

— Franchement, Alex, tu aurais pu nous le dire avant que ça en arrive à ce point-là. Pour le moment, tu peux dormir sur mon sofa, mais...

Il eut un long silence, suivi d'une exclamation de Frank :

— J'ai une idée géniale !

— *Une autre !*

— Oui !!! Wow ! J'ai compris ce qu'Alex a dit ! Donc, mon idée : Julie-Anne pourrait déménager avec moi, alors Alex utiliserait sa chambre en attendant d'avoir trouvé du boulot. C'est tellement plus beau chez moi que dans ce petit cube sombre.

Viateur eut l'air si insulté que même Frank s'en rendit compte. Il chercha à se reprendre :

— Mais c'est charmant sous la mezzanine. Et plus tard, Julie-Anne sera toute contente de revenir ici. Parce qu'évidemment, j'imagine que ça serait temporaire. En plus de ça, Julie-Anne et moi, on a eu une autre idée géniale. Une ile. Mais on en reparlera plus tard.

— *Mais penses-tu que Julie-Anne sera d'accord ?*

— Encore une fois, j'ai compris ! J'ai compris ce qu'Alex a

dit ! Ceci dit… Comment pourrait-elle ne pas être d'accord ?
Voyons ! Alex, je suis certain que tu seras le bienvenu chez
Julie. Je lui annonce ça dès qu'elle sort de chez elle.

Alex, Viateur et Myriam échangèrent un éclat de rire
silencieux. Pauvre Frank !

\*\*\*

Julie-Anne s'était finalement jointe à eux, mais Frank ne
lui avait toujours pas fait part de son « idée géniale ».

Viateur était curieux. Comment réagirait-elle ? Elle ne
serait peut-être pas si enthousiaste que ça. Frank était plein
de bonne volonté mais pouvait faire preuve d'un manque
de perception tout à fait étonnant. Et quelle était cette autre
brillante suggestion de Frank pour aider Alex ? Comme tout
le monde, Viateur se méfiait un peu des idées géniales de
Frank, tout en étant souvent surpris ou amusé.

Tout juste comme Frank se raclait la gorge, Balwinder
apparut dans l'entrée.

— Et ! Devinez quoi ? On est presque arrivés au
printemps.

— Déjà ? Mais il n'y a eu que quelques semaines de
pluie ? Le mois de février vient à peine de commencer.

— Je sais mais, en passant près de la vieille voie ferrée,
j'ai senti une bouffée de résine. L'odeur de baume des
peupliers, celle qui annonce le printemps.

Myriam s'était approchée.

— Le *populus balsamifera*… déjà… Ils survivent toujours ? J'adore ce parfum. Sucré, capricieux, insaisissable. L'odeur de désir, de renouveau, de nostalgie. De trop-plein. Et de déchirement : parce qu'elle présage l'impossible. Est-ce que ce que je dis a du sens ?

Frank laissa échapper un rire.

— Et, tout ce temps-là, j'ai tout simplement appelé ça l'odeur du printemps.

Il se tourna vers Julie-Anne.

— J'ai eu une super idée. J'espère que ça va te faire plaisir.

— Hum, je me méfie… mais attends. Je veux sortir. On pourrait peut-être aller marcher sur la voie ferrée ? C'est où exactement ?

Viateur se leva.

— ÇA, c'est une bonne idée ! Je suis enfermé ici depuis des jours.

Myriam désirait aussi les accompagner.

— Mais, qu'est-ce qu'on fait ? On ne peut pas laisser le magasin sans libraire.

Alex s'avança. Il fit le tour du comptoir et s'assit au tabouret.

— *Et voilà !*

Myriam s'approcha.

— Merci, Alex.

Elle se tourna vers Balwinder.

— Tu nous amènes ?

— Avec joie. Destination… *populus balsamifera* !

Balwinder s'illumina sous la lumière du sourire que lui adressait Myriam. Viateur se retourna vers Alex pour lui dire au revoir. L'ermite s'était très soudain assombri. Comme sous un grand nuage qui galope rageusement dans le ciel, par un après-midi d'été.

\*\*\*

Juché sur son tabouret, Alex observait Banane Sympathique et Danseur Bedonnant. Qui se tenaient par la main. Enfin. L'homme avait approché un fauteuil bien rembourré de la chaise de son amie et ils bavardaient posément. Le livre de Banane Sympathique lui avait glissé des doigts et il était maintenant en équilibre sur son genou, au bord d'un petit abime. D'une minute à l'autre, il tomberait. Est-ce que ça briserait la magie du moment ? Non. L'homme semblait tellement heureux. Il ramasserait gentiment le livre et le remettrait, comme une caresse, sur le genou de sa compagne. Amusant : la chaise ressemblait à Banane Sympathique et le fauteuil à Danseur Bedonnant.

Alex rit intérieurement, mais un sentiment désagréable le chatouillait. Quelque chose l'embêtait. Il chercha à saisir de quoi il s'agissait. Ah ! oui ! Le sourire échangé entre Balwinder et Myriam. Son infinie générosité. Avait-il vraiment cru que ce sourire n'existait que pour lui ? Oui…

un peu. Même lorsque Myriam était absente, il pensait sans cesse à elle. Ils jouissaient d'une entente parfaitement silencieuse et hors de l'ordinaire. Il avait cru avoir rencontré une femme exceptionnelle, capable de vivre un amour chaste et distant avec un muet. Se pouvait-il qu'il ait imaginé leur tendre complicité ? Il était après tout, prisonnier de son état d'ermite. Une cage qu'il avait lui-même façonnée. Peut-être n'avait-il su qu'observer en tenant les barreaux à deux mains. Convoiter l'amour de Myriam tout en acceptant l'importance du renoncement.

Alex se leva pour arpenter les allées de la librairie, à l'affut de ces livres pirates auxquels Viateur avait fait allusion. Rien à signaler. Personne ne semblait avoir besoin de lui. Il s'installa sur un coussin et réfléchit aux mois qui venaient de s'écouler.

Depuis la découverte de la Librairie des Insomniaques, il avait vécu comme autant d'obstacles, les évènements extraordinaires qui l'empêchaient de se retirer tout à fait du monde. Le merveilleux étalait, encore et encore, ses longs bras pour venir l'attirer vers lui. Et alors qu'il luttait et cédait successivement à son emprise, le hasard l'avait amené ici. Où il se trouvait maintenant réduit à vivre de charité.

Il avait faim et il n'avait pas pris de douche depuis quelques jours, il n'était pas rasé. Le rebord de son pantalon s'était défait et avait trainé dans la poussière. Les genoux commençaient à être légèrement élimés. Il n'avait plus de vêtement de rechange et il détestait être sale. Alex espéra que quelqu'un lui donnerait bientôt accès à une douche, à une laveuse-sécheuse, sans qu'il ait à le demander. Il déposerait alors son bol de mendiant sur le sol et se tiendrait nu devant la machine en regardant ses chaussettes qui gambaderaient joyeusement avec ses pantalons dans la sécheuse.

Il comprit enfin. Tous ces empêchements des derniers mois, ce n'étaient pas des obstacles mais bien un pont, une série de grandes pierres plates qui traversaient une rivière pour le mener vers le détachement le plus total.

Dorénavant, il résolut de veiller sur Myriam et Balwinder, libre de toutes contraintes, de tout désir. Il n'existerait plus que dans le présent, à la merci de l'amitié.

\*\*\*

Coincée entre Frank et Myriam sur la banquette arrière du taxi, Julie-Anne s'interrogeait. Qu'est-ce que Frank voulait lui annoncer ? Pour leur part, Viateur, Balwinder et Myriam attendaient. Tout en craignant une petite tempête, ils anticipaient un joli feu d'artifice.

Bref, chacun pensait à Frank, y compris Frank. Hum... L'idée d'offrir le logement de Julie-Anne à Alex n'était peut-être pas si géniale que ça. La preuve : il avait peur de lui en faire part. Accepterait-elle de venir vivre chez lui ? Il ouvrit légèrement la fenêtre. L'air de la nuit s'infiltra dans la voiture. Avait-il gaffé ? Frank sortit son cellulaire de sa poche, afin de vérifier les prédictions météo.

Ils approchaient de la voie ferrée. Il y avait bien longtemps que les trains avaient cessé d'y circuler, que la compagnie ferroviaire avait détruit les jardins communautaires, que la ville avait acquis le terrain pour y créer un corridor vert, que le gouvernement avait été renversé au cours d'une élection, que le projet avait été remisé dans les limbes. Pendant longtemps, on avait parfois pu y rencontrer une petite laitue, un lapin abandonné ou des roses sauvages. On n'y trouvait plus maintenant que des mégots, de vieux matelas remplis de punaises de lit voraces et des plaques d'eau marécageuses où survivaient tant bien que mal les peupliers. La saison des pluies avait été courte mais intense, et les arbres avaient pu s'épanouir. Courageux. Tenaces. Leurs bourgeons résineux et odorants sur le point d'éclater.

Ils stationnèrent et se dirigèrent avec difficulté vers la lisière qui longeait les rails, du moins ce qui en restait. C'était la première fois depuis longtemps que Viateur se trouvait à l'extérieur par une nuit si noire.

Balwinder s'exclama :

— On n'y voit rien !

Myriam renchérit :

— Pourtant, je suis habituée à me promener la nuit.

Viateur saisit la main de Julie-Anne :

— Et bien moi, je vois parfaitement dans l'obscurité. Suivez-moi.

À leur tour, Julie-Anne, Frank et Myriam se prirent spontanément par la main. Et la main gauche de Myriam ? Et les bras de Balwinder, toujours ballants ? Une hésitation. Deux paumes qui se dirigent l'une vers l'autre. Un courant, un amalgame, un plaisir... Myriam et Balwinder tressaillirent au son de la voix de Viateur.

— Attention ! Nous allons maintenant descendre le terreplein.

Le terrain qui longeait la voie ferrée était sale, bien entendu, mais la nuit en avait estompé la laideur, adouci les contours, effacé les déchets. Grâce aux yeux de chat de Viateur, ils pouvaient éviter toutes embuches.

Ils évoluaient lentement, l'un à la suite de l'autre, en complète harmonie. Il faisait tellement noir que Julie-Anne ne savait plus si elle avait les yeux ouverts ou fermés. Elle renversa la tête, huma l'air. Un arbre bruissa et l'odeur sucrée des bourgeons mûrs l'assaillit tendrement. Julie-Anne tira alors le bras de Viateur vers elle, s'immobilisa. Les autres firent halte à leur tour. Pouvaient-ils percevoir l'effluve ? Oui. Non. Selon le mouvement des branches, de la brise ou encore de la sève, le parfum apparaissait ou s'évanouissait. Lorsqu'il leur échappait, ils retournaient sur leurs pas pour le rattraper. Une lente poursuite.

Puis, ils y furent tous. Simultanément. À l'épicentre même de cet arôme enivrant. Quelqu'un chuchota :

— C'est tout à fait merveilleux.

Julie-Anne eut ce déchirant éclair de conscience absolue. La saison des bourgeons est brève. Cela ne durerait pas, il fallait s'abandonner et en profiter entièrement.

Chacun d'entre eux savait au moment même où ils le vivaient qu'il s'agissait d'un instant magique, mais tout aussi élusif que le parfum des peupliers baumiers. Ils avaient oublié leurs préoccupations. Ne se trouvaient plus que dans cet instant précis, dans cette nuit précise, à la recherche d'un effluve de printemps.

***

La librairie était vide. Banane Sympathique et Danseur Bedonnant étaient repartis les derniers, en se tenant si fort par la main qu'il leur avait été compliqué d'ouvrir la porte et de sortir.

Un arôme exotique flotta jusqu'à Alex. Une pointe âcre, une huile sucrée. Ce parfum le mena vers un guéridon où il trouva une orange, posée sur une serviette indigo. À côté, quelqu'un avait laissé une note : « Pour toi, Alex. » Il s'installa dans le fauteuil et, ce faisant, il heurta la petite table ronde. L'orange trembla légèrement. Son ombre bleue frémit aussi. Il demeura un moment immobile, les mains sur les genoux. Il avait accepté de vivre sans désir. Il ne s'accordait plus le droit de manger de fruits depuis si longtemps. Devait-il sacrifier jusqu'au sacrifice même ? Il soupira, retourna à l'orange. Sa chair marquée d'imperfections. Son ombre vacillante. Son ombre parfaite. Ce n'était plus une tentation, ce n'était qu'un fruit. Il le souleva, le soupesa. Il était frais. Comme la main de Myriam l'avait été ce soir-là. Myriam. Regret. Non… détachement.

Il enfonça les ongles dans l'écorce de l'orange. Arracha un peu de zeste, révélant une couche jaune pâle. Ça ressemblait à un petit continent. Alex continua à enlever des morceaux de zeste ici et là, jusqu'à ce qu'il ait entre les mains une terre aux océans orangés où se dessinaient des pays couleur miel. Après l'avoir contemplée pendant un bon moment, il retira le reste de la pelure, détacha un à un chacun des quartiers de l'orange et les porta à sa bouche. Elle était sucrée et juteuse. Il la but plus qu'il ne la mangea. Le fruit et l'ermite s'amalgamèrent et Alex se transforma en planète qui tournait quelque part dans le noir. Qui traçait des arabesques sans savoir pourquoi. Qui se laissait porter. Sans poser de questions. Sans s'impliquer. Sans prendre position. Un être beige qui avait volontairement abandonné toute résistance.

***

Sur le chemin du retour, Julie-Anne appuya la tête sur l'épaule de Frank. Encouragé par ce geste, celui-ci lança avec une timidité qui le surprit :

— Tu sais, Julie-Anne, j'ai eu une bonne idée tout à l'heure pour aider Alex.

— Ah ?

Les autres retenaient leur souffle.

Frank balbutia enfin :

– Je me suis dit que, pour dépanner Alex, temporairement bien sûr, tu pourrais lui prêter ta chambre et venir passer quelque temps chez moi.

— On devrait peut-être demander d'abord à Viateur ce qu'il en pense, non ?

Viateur lâcha :

— Oh ! c'est déjà fait. Je suis d'accord.

Oups.

Julie-Anne reprit :

— Oh. Viateur est d'accord. Intéressant. Si je comprends bien, tu as eu l'idée de prêter ma chambre à Alex et tu en as discuté avec Viateur avant même de savoir ce que j'en pensais. C'est ça ?

Balwinder renchérit malicieusement :

— On dirait bien qu'il leur en a tous parlé. Il ne restait que toi à consulter.

Tiens, tiens. Myriam ne connaissait pas ce petit côté coquin de Balwinder. Il lui avait toujours semblé un peu sérieux. Elle examina attentivement son profil, à partir de la banquette arrière.

Frank éprouva une envie profonde d'être ailleurs, Viateur se rentra la tête dans les épaules. Et Julie-Anne laissa tomber :

– OK.

Frank se redressa :

– Hein ? OK ? Tout simplement, OK ? Tu me fais perdre l'occasion de m'excuser pour mon « incommensurable » manque de sensibilité.

Julie-Anne sourit.

– Je sais. Mais ça va. C'est oui. Je n'ai pas envie de me

fâcher. Peut-être à cause des peupliers... De toute façon, tu as déjà fait l'expérience de ma colère avec ton imagination. Dans toute sa splendeur, j'en suis sure. Donc, je peux me permettre de sauter cette étape. En fait, j'aimerais ça essayer de vivre un peu avec toi.

– Vraiment ? Wow ! Je suis content. Tellement content !

Au volant, Balwinder ne suivait plus la conversation, car il sentait braqués sur lui les yeux de Myriam. Ah... Il était donc bien vrai qu'on peut physiquement ressentir le faisceau d'un regard.

***

Mars. La nuit tombante.

Une zone semi-industrielle.

Des immeubles aux fenêtres noires.

Des stationnements sous les néons. Des bandes de pelouses synthétiques.

Julie-Anne et Frank se tenaient blottis sous un même parapluie. Pourtant, il ne pleuvait pas.

— Les voilà, dit Frank.

— Pourquoi le parapluie ?

— 20 000 corbeaux sont à veille de passer au-dessus de nous.

— Oh. Tu sais, je ne crois pas que les corbeaux font leurs besoins lorsqu'ils sont en train de voler.

— Tu es sure ? Ça fait rien. Je veux pas prendre de chance.

Julie-Anne ajouta :

— C'est bien qu'ils n'aient pas disparu quand même.
Qu'il y ait encore des oiseaux. Même si c'est des corbeaux.

— Ils sont débrouillards. Ils peuvent survivre en ville. Ils
préfèrent la ville en fait. Mon père disait qu'ils ont peur des
grands-ducs. Ils peuvent pas très bien voir dans le noir.

— Il n'y a plus de grands-ducs, je crois.

— Tu as probablement raison, mais ils le savent pas.

Au loin, on entendait des croassements. Certains
corbeaux criaient continuellement et d'autres se contentaient
d'émettre de petites exclamations ici et là. Le son devint
de plus en plus étourdissant puis on les vit arriver par
groupes de toutes parts, en ondulations irrégulières,
sombres explosions de vols décousus. Et ils se dirigeaient
tous vers le terrain où se trouvaient Frank et Julie-Anne.
Ils commencèrent à atterrir en vagues anarchiques sur la
cime des arbres qui tanguaient sous leur poids et Julie-Anne
se laissa envahir par les cris et le froufrou des battements
d'ailes. Le prodigieux chaos de ce dortoir communal !

Frank lui hurla à l'oreille :

— EXCITANT, NON ?

— TOUT À FAIT EXTRAORDINAIRE.

Ils s'éloignèrent un peu et elle ajouta :

— Et ils se rejoignent ici de tous les quartiers de la ville,
TOUS les soirs ?

— Non. Seulement l'automne et l'hiver. Nous sommes chanceux d'avoir pu venir en mars. Bientôt, ils vont construire des nids. Ils vont arrêter de se réunir ici chaque soir. Au fait, tu savais qu'ils s'accouplent pour la vie ?

Julie-Anne fit signe qu'elle ne pouvait entendre. Mais elle avait bien saisi et préférait ne pas s'engager sur cette voie périlleuse. Elle changea de sujet.

— Je voulais te dire... Alex...

— Oui ?

— Je pense que tu as raison, Frank. Il est en train de devenir carrément anormal. Il faudrait qu'il change d'air. Peut-être qu'on devrait au moins lui faire visiter cette ile dont tu m'as parlé.

— Saturna. Oui. J'avoue que j'ai un peu peur d'y retourner après les déversements et les feux de forêt et tout. Je suis même pas certain qu'il y pousse encore quelque chose. Mais j'ai entendu dire que certains animaux marins avaient survécu. Puis...

— Puis ?

— En même temps, je suis curieux. Saturna, c'est mon petit paradis d'enfance. Alors, j'ai demandé à un gars au travail qui a un bateau.

— Et ?

— Il me doit une faveur.

— Quel genre de faveur, Frank ?

— Laisse faire... mais, en tout cas, il va nous prêter son

bateau pour quelques jours et on pourra y aller ensemble cet été. Toi, moi et Alex. Et je crois qu'on devrait demander à Myriam et Balwinder de nous accompagner. Ça serait amusant, non ? Tous les cinq en voilier. En vacances sur le terrain de camping de mes parents. Viateur pourrait s'occuper d'obtenir les papiers. Il est bon avec la paperasse.

Julie-Anne acquiesça d'un air songeur.

— Oui, ça c'est vrai, il est bon avec tous les trucs de paperasse. Il faudrait lui demander de le faire avant qu'il parte pour l'hôpital. Parlant de Viateur... Tu sais, c'est lui qui m'a...

Frank revint à son idée.

— On va amener Alex. On le laissera là. Les ermites, ça habite souvent sur des iles. Il y en avait un sur l'ile Saint-Barnabé, en face de Rimouski au Québec. J'ai fait des recherches...

— Ça, c'est TON idée d'un ermite, Frank. Je ne suis pas convaincue.

— Comment ça ?

— Alex, il est comme les corbeaux. C'est un ermite urbain. Il a besoin d'une colonie même s'il ne croasse, ou ne parle, pas. Et puis, je crois qu'il a peur des grands-ducs. Qu'ils existent toujours ou pas.

Frank sourit. Il aimait l'analogie.

— Ouais. Tu as peut-être raison. Mais ça ne fait rien. Moi, j'ai besoin d'y retourner. D'y faire face.

\*\*\*

En avril, Viateur avait finalement pu obtenir une place à l'hôpital et Alex était maintenant responsable de la librairie. Depuis quelques semaines, il avait complètement abandonné la discipline rigoureuse dans laquelle il avait trouvé refuge, s'était même dépouillé de son régime équilibré. Il se nourrissait de ce qu'on lui donnait, point à la ligne. Il avait accepté de vivre de charité, d'insécurité totale et devait s'en remettre au bon vouloir des gens. Il avait abandonné la solitude, tissé des liens avec Balwinder, Myriam, Frank et Julie-Anne. Au retour de Viateur, si ses amis cessaient de lui prodiguer hébergement et nourriture, il risquait de se retrouver à la rue. Et la compagnie à qui on avait confié le soin des sans-abris ne le laisserait pas longtemps tranquille. Il n'était pas encore parvenu à se détacher de cette hantise.

Pour le moment, il dormait toujours chez Julie-Anne, il mangeait la nourriture que lui avait laissée Viateur, il buvait l'eau que lui apportait chaque soir Myriam. Il n'était finalement pour elle qu'une plante illégale de plus à abreuver.

Il n'avait plus droit à la routine ni au mutisme. Il était balloté ici et là, selon le bon-vouloir des n'importe quand. N'importe quand, Julie-Anne pouvait faire interruption dans sa chambre à la recherche de ceci ou de cela. N'importe quand, un client pouvait lui demander un renseignement. Et surtout n'importe quand, un de ces damnés bouquins subversifs pouvait apparaitre et c'était sa mission de les éliminer. Il fit une dernière ronde puis s'assit derrière le comptoir, ainsi Myriam et Balwinder ne pourraient pas voir la frange élimée de ses pantalons à leur arrivée. Puis non. Il retourna à la fenêtre. Il devait s'élever au-dessus de la honte même.

Lorsqu'ils viendraient enfin, il reconnaitrait leurs pieds sur les marches, car ils descendraient en harmonie parfaite. Puis, la porte ferait entendre son petit carillon et ils entreraient, enveloppés de nuit et de printemps. Balwinder le saluerait de la main et Myriam lui tendrait gentiment une bouteille d'eau, puis ils iraient s'assoir là-bas au fond.

Debout près du comptoir. Il boirait à même le goulot; témoin assoiffé de leurs tendres conversations amicales qui se poursuivraient jusqu'au petit matin, sous la lampe rose, au creux du divan vert.

***

La librairie était fermée pour cause de pleine lune et Alex en avait profité pour aller marcher dans les rues. C'était la première fois qu'il quittait les lieux depuis le départ de Viateur et cette promenade dans la nuit de mai lui avait fait grand bien. Au retour, en descendant l'escalier, Alex aperçut son reflet dans la vitrine et eut un mouvement de recul. Était-ce bien lui ? Cet être mal rasé, aux vêtements froissés, aux cheveux retenus en une queue de cheval maigrichonne ? Son regard se dépêcha de dépasser la vitre pour pénétrer à l'intérieur.

Frank, Julie-Anne, Balwinder et Myriam étaient assis ensemble et semblaient tenir conciliabule. Dès qu'Alex ouvrit la porte, ils le bombardèrent de questions.

— Nous sommes inquiets. Viateur avait parlé d'une opération toute simple, mais il est parti depuis un mois. Quand reviendra-t-il ?

- On pensait tous qu'il avait donné ses coordonnées à quelqu'un d'autre, mais on vient de se rendre compte qu'en fait, personne ne sait où il est.

— Est-ce que, toi, tu as le nom de l'hôpital où il se trouve ?

— Et est-ce qu'il possède un cellulaire ?

- ... et, si oui, est-ce tu as le numéro ?

- On a contacté tous les hôpitaux et soit ils refusent de nous donner des renseignements au sujet des patients, soit ils n'ont jamais entendu parler de lui.

- La librairie commence à être de plus en plus vide. Où est-ce qu'il se procurait tous ses livres ?

- Tu es notre dernier espoir. Tu sais quand il revient ? Où il est ?

Alex répondit la désolante vérité :

- Je regrette, mais je n'en ai aucune idée. Je pensais qu'il vous avait donné toutes ces informations.

Il y eut un long silence que Frank brisa en tendant un sac à Alex.

- Je t'ai apporté des vieux vêtements que j'aime plus.

Julie-Anne leva les yeux au ciel.

- Frank !

- OK, OK, je les aime, les vêtements. Oh, et puis, j'ai mis un rasoir.

Alex accepta le sac et Frank poursuivit :

– Revenons à nos moutons. Tout ce qu'on peut faire, c'est attendre. Et t'aider avec la librairie si nécessaire. Mais Julie-Anne et moi, on a eu une idée. Et on a même pris l'initiative de faire certains arrangements. Au cas où... Ça te dirait d'aller vivre sur une île, comme un vrai ermite ?

Julie-Anne lança d'un ton excédé :

– Franchement, Frank. Un VRAI ermite.

– Tu sais ce que je veux dire. Voyons. Alex ?

Pour toute réponse, Alex fit la moue.

Devant ce manque d'enthousiasme, Balwinder s'interposa.

– Il y a une autre possibilité dont je voulais justement te faire part, Alex. Je t'ai déniché un travail qui correspond à tous les critères que tu nous avais donnés. Mon beau-père avait un ami qui a une agence de gardiens de nuit et ils auront besoin de quelqu'un au début de l'été. Viateur sera certainement de retour à ce moment-là.

Frank revint à la charge :

– Excuse-moi, Balwinder, mais c'est moi qui a eu l'idée de l'île en premier.

Myriam leva les bras.

– Mais, qu'est-ce que ça peut faire qui a eu l'idée en premier, Frank ! Il appartient à Alex de décider. Alex ?

Devant l'air dépité de Frank, Alex suggéra un compromis :

– Peut-être que je pourrais visiter l'ile ? Mais, auparavant, j'irai rencontrer l'ami du beau-père de Balwinder. Par la suite, je pourrai choisir, en toute connaissance de cause.

Frank sauta immédiatement en mode organisation :

– Balwinder et Myriam, ça vous dirait de nous accompagner ? Super ! Il va falloir décider des dates. Et dresser une liste de matériel à apporter, au cas où Alex resterait.

*Je ne resterai pas. Mais peu importe. Pour le moment, ils sont contents.*

\*\*\*

— Tu étais amoureux de moi, n'est-ce pas ?

— *Bien sûr.*

— Je suis désolée.

— *Pourquoi ? T'aimer de loin a été une très tendre douleur.*

— Que tu cultives. Pourquoi ?

— *Myriam... Pour moi, c'était la seule solution.*

Long silence.

— Je peux te demander un service, Alex ?

— *Avec plaisir.*

127

— Les livres « rebelles ». Tu continues à en recevoir ?

— *C'est un environnement propice pour eux. Alors, oui. De plus en plus. Ils poussent ici et là, comme des haricots... entre les étagères, sur le pouf et, parfois, même sous les tapis. Il y en a de toutes tailles, de toutes couleurs. Je pourrais passer mes nuits à les ramasser.*

— Et qu'est-ce que tu en fais ?

— *Avant, je les brulais dans le barbecue, tout simplement. Maintenant... Rien. Je les laisse envahir tout doucement la librairie. Je ne comprends vraiment pas où Viateur se procurait sa marchandise régulière et il est parti depuis longtemps. Alors, sans les livres clandestins, les rayons seraient plutôt vides...*

— Hum, je ne suis pas certaine que Viateur approuverait mais moi, oui.

— *Je m'en doutais bien. Moi, je me tiens à l'écart de la politique. Je fais ce qu'on me dit. Mais, pourquoi toutes ces questions ?*

— Je recherche des titres sur des thèmes précis. Certains sont subversifs, d'autres pas. Mais le système de classement est tellement particulier qu'on peut difficilement trouver un ouvrage dans cette librairie.

— *Ce sont les livres qui nous trouvent.*

— Je sais, mais je n'ai pas le temps. On part bientôt.

— *D'accord, récite-moi ta liste. Je la mémorise.*

— Autosuffisance. Utopie. Communauté. Jardinage.

Élevage de chèvres. Champignons. Menuiserie. Plantes comestibles. Premiers soins...

— *Tu n'as pas besoin de poursuivre. Je vois exactement où tu veux en venir. Je ne suis pas certain que ce soit nécessaire. Je ne vais pas rester, tu sais. Mais j'ai compris.*

— Non. Je ne crois pas que tu aies compris. Je continue : Premiers soins, Accouchement naturel.

— *Oh !*

— Maintenant, à ton tour de me confier un secret. Je voudrais enfin que tu m'expliques... Pourquoi es-tu devenu ermite ?

Alex lui tourna le dos et se dirigea vers les étagères.

— *Je te passe les livres, au fur et à mesure qu'ils arriveront.*

*** 

L'entrevue se passait au centre-ville, dans un bureau tout blanc meublé de deux chaises et d'une petite table en forme de croissant. Elle était surmontée d'un de ces nouveaux ordinateurs à deux écrans qui permettaient aux interlocuteurs de discuter en face à face tout en ayant accès au terminal.

L'ami du beau-père de Balwinder l'accueillit en personne.

— Bonjour. Alex ? Moi, c'est R. Drapeau. Assieds-toi. Assieds-toi.

Devait-il l'appeler R ou Monsieur Drapeau ? De sa

chaise basse, Alex ne pouvait apercevoir que son front et son crâne luisant. Le reste était dissimulé par l'écran. L'homme s'exclama :

— Quelle tragédie !

— Tragédie ?

Les sourcils de R. Drapeau se levèrent en accents circonflexes.

— Le meurtre de la femme de Balwinder, évidemment ! Il ne s'en est jamais remis, le pauvre. Je ne comprends pas pourquoi il continue avec son truc de taxi. Les voitures sans conducteurs sont tellement plus fiables. En tout cas. C'est ça qui est ça. Moi, je suis content de pouvoir aider un de ses amis.

— Merci.

— Ce n'est pas grand-chose : gardien de nuit.

— J'aime la solitude.

— Alors, tu vas être servi. Tu vas patrouiller dans les corridors d'un immense complexe. Je ne peux pas te révéler le nom de la compagnie, mais il s'agit d'un organisme TRÈS important. Ah ! Tu serais vraiment fier de travailler pour eux.

R. Drapeau alluma l'écran qui faisait face à Alex.

— Bon. Voici la liste des conditions et le salaire : il va être automatiquement versé dans ton compte. Tu sais, on opère aussi une banque. Une petite banque, mais une banque quand même. Bon, bon… Pas d'écouteurs. Pas de téléphone.

Tu ne pourras évidemment pas dormir sur la job. Tu veux bien continuer à lire toi-même ?

Alex parcourut rapidement l'écran. Tout était clair.

— Aucun problème. Je suis une personne fiable et...

— Ah ! Mais j'y pense. Tu as une voiture ?

— Non.

— Ben, là où c'est situé, il n'y a pas de transports en commun. Ha ! Il va falloir qu'on te vende une auto alors. Justement, on possède aussi un lot de...

— Désolé, c'est gentil, mais je ne conduis pas. Il n'y a vraiment aucun logement à louer dans le coin ?

— Mais, regarde ! C'est au milieu d'un dédale d'autoroutes.

Alex songea à l'excursion à moto avec Frank. Peut-être était-il passé par là. Est-ce que ça faisait déjà huit mois ? R. Drapeau consultait le terminal.

— Ah. Je vois une possibilité. Et c'est à trente minutes à pied. Par l'autoroute. Bon ce n'est pas très agréable, mais c'est faisable. Il va falloir que tu sois ouvert d'esprit, par exemple.

— Qu'est-ce que vous voulez dire ?

— OK. Alors, regarde. Il y a un abri pour itinérants pas loin. Là.

Un point clignota sur la carte affichée à l'écran. Le logo de la compagnie Sécuricorpo. Alex se raidit.

— Oh... c'est que...

131

— Non non. Ce n'est pas ce que tu crois. Sécuricorpo met quelques appartements à la disposition de leurs employés ou pour ceux des bureaux affiliés, comme le nôtre. Des logements qui sont beaucoup mieux que ceux des prisonn… des résidents. Tu n'auras pas besoin de te mêler à eux. Tu vas être tout à fait indépendant.

Alex secoua la tête. R. reprit.

— Ah ! Mais j'y pense ! Peut-être que certains « résidents » font le ménage dans l'édifice où tu vas travailler.

— Et ?

— Alors, tu pourrais prendre la navette de Sécuricorpo avec eux. Si leurs heures concordent. Ça serait vraiment pratique si c'est possible. Je vais m'informer.

Alex balbutia.

— Mais… mais… mais… je n'aurai pas à porter l'uniforme rouge fluo ?

— Ben non ! Ben sûr que non. Tu es un citoyen en bonne et due forme. Il y a l'uniforme de gardien de nuit, mais à part ça tu t'habilles comme tu veux.

Alex avait failli oublier.

— J'ai promis à des amis d'aller faire un petit voyage avec eux.

— Tu vas être revenu le premier juillet ?

— Oui.

— Bon. Alors, ça marche. Passe me voir en juin et on va

organiser tous les détails. Entre temps, je vais m'assurer qu'il y a bien une navette entre ton logement et le laboratoire. Bon... Je clique. OK, c'est fait : ton appartement est réservé. Signe ici. On ne veut surtout pas manquer cette opportunité-là. Parce que c'est toute une chance, tu sais. Ce n'est pas facile d'obtenir un de ces appartements-là. Tu fais une bonne affaire.

Alex s'empara du stylet que lui tendait R. Drapeau. Ses doigts tremblaient et il dut s'y reprendre à trois fois pour signer.

***

*Papier, stylos, radio solaire, lampe de poche...*

— Et ma lanterne de camping !

*Corde, allumettes, filtres de charbon, pastilles de purification d'eau, boussole...*

Julie-Anne ressortit la boussole.

— Il y a quelqu'un qui sait comment utiliser ça ? À quoi ça sert sur une ile ?

Frank s'empara de la boussole.

— OK, une affaire de moins !

— Êtes-vous fous ? Non. Non. Ça prend une boussole !

Myriam reprit l'objet et le fourra dans le sac.

*Bâches de plastique, trousse de premiers soins, vêtements chauds, imperméables...*

Frank ne voulait pas d'imperméable, il ne pleuvait jamais en juin.

— Tu as oublié ? On les apporte juste au cas où Alex déciderait de s'établir là.

*Contenants de plastique, réchaud, carburant, couteau, graines et semences...*

Frank considéra les graines.

— Pas très utile. Tu les plantes une fois puis il faut que t'en achètes d'autres.

Myriam le regarda droit dans les yeux.

— Elles sont fertiles.

— Mais, c'est du terrorisme économique !

— C'est ça, l'idée.

*Aiguilles, fil, sacs de couchage, couverture polaire, gamelles, casseroles...*

— Des casseroles, mes parents en avaient laissé sur place. Ils pensaient revenir.

— Il y a dix ans !

— D'accord, on les apporte. Mais je sais qu'il y en a déjà.

*Tamtam...*

— Tamtam ? Pour cinq jours ?

Myriam caressa son instrument, avant de le ranger dans les bagages.

— Oui.

*Matériel pour la pêche...*

Julie-Anne était perplexe.

— Mais, qui voudra pêcher des poissons empoisonnés ? S'il y en a.

Myriam lui répondit gentiment.

— C'est une question d'espoir...

*Hache, outils, crème solaire, ciseaux, fusil, bougies, bibliothèque...*

— Wow, il n'y a pas autant de livres que je pensais !

Frank se tourna vers Myriam.

— Qu'est-ce que t'as fait avec les livres qu'Alex t'a donnés ?

— Je les ai plantés.

— Plantés ? Tu veux dire enterrés ?

— *Planté dans sa tête : elle les a mémorisés. Elle ne fait que cela depuis des semaines.*

— Tous les livres illégaux sont maintenant à l'intérieur de moi.

— Wow ! Comme dans *Fahrenheit 451*.

Alex avait préparé une note à afficher sur la porte. La librairie serait fermée pour cinq jours et ils espéraient tous que Viateur, courroucé ou non, les accueillerait à leur retour.

***

Déformée par la brume bleu fumée du matin, loin au bout du quai, la silhouette de Balwinder demeurait reconnaissable. Il se mouvait avec une énergie dansante, un large objet insolite à bout de bras. Frank plissa les yeux. Mais qu'est-ce que Balwinder apportait là ? On n'avait vraiment pas besoin de bagages supplémentaires ! Oh, et puis bof… Il avait d'autres préoccupations.

Depuis la veille, les doutes lui serraient le cœur. Pourquoi retourner sur Saturna maintenant ? Pourquoi ne pas plutôt rester avec le souvenir qu'il en avait ? Les baignades dans la mer claire et transparente en fin d'après-midi. Le volcan du mont Baker sur l'océan. Les crabes et les loutres luisantes. Les étoiles. Les otaries avec leur bonhommie et la force gracieuse d'ours polaires. Et, surtout, le mystère de les savoir tous là, tapis sous les vagues qui vous observaient peut-être.

Trop tard pour reculer. Frank écarta ces pensées pour s'affairer avec le moteur. Une vraie beauté ! Un moteur ancien qui fonctionnait à l'essence et dont les rouages étaient on ne peut plus logiques. Ils en auraient besoin pour quitter la baie mais, ensuite, ils pourraient lever les voiles. Myriam lui avait promis qu'elle lui apprendrait à naviguer et il se réjouissait déjà de voyager sur le vent, avec le vent.

Mais qu'est-ce que c'était que ce bruit, ces petits cris aigus ? Dieu merci, ça ne provenait pas de l'engin mais plutôt de l'objet que transportait Balwinder : une cage… et trois perruches. Quelle drôle d'idée que d'amener ses oiseaux en vacances ! Mais enfin, l'important était que chacun soit finalement au rendez-vous.

— Tout le monde à bord ! cria Frank.

On s'installa et il fit démarrer le moteur.

Le voilier se faufila entre les déchets qui flottaient, sur des flaques d'huile aux effets polychromes. Les couleurs bougeaient lentement, formaient des courbes, des dessins bigarrés, des arabesques qui évoluaient et se coulaient les unes dans les autres. Le voilier traçait une ligne sur ces dessins psychédéliques. L'huile s'écartait à leur passage. La brise était douce. Douce et chaude. Bientôt, on lèverait les voiles vers le sud.

\*\*\*

Coiffé d'une casquette de capitaine, Frank tenait la barre. Julie-Anne s'était allongée sur le pont et de tous ses pores, elle buvait le vent et la lumière. Alex était recroquevillé dans la cabine où il luttait contre le mal de mer. Balwinder discutait avec ses perruches, dans une langue pointue et incompréhensible. À cette distance du rivage, l'odeur de pétrole était à peine perceptible. Myriam était debout à l'avant du bateau, narines écartées. Elle s'exclama :

— Je sens le sel. La mer se remet ! Je vous jure que la mer guérit.

Balwinder scruta l'horizon. Trente navires-citernes pointés vers le port. Il regarda Myriam. L'enthousiasme au coin des yeux. Il considéra de nouveau les superpétroliers.

De concert avec les voiles qui claquaient dans le vent, les perruches se mirent à jacasser. Une conversation intarissable.

Folâtres et insouciantes, elles s'en fichaient bien elles, des pétroliers.

***

Frank reconnut les contours de l'ile et put orienter le bateau vers une anse où il serait à l'abri. Il s'était préparé au changement et, comme tout le monde, il avait vu les images aux actualités, mais il reçut tout de même un grand coup de poing au cœur lorsqu'ils atteignirent la terre. Les rives gluantes. L'odeur de pourriture au diésel. Les rochers de grès noircis. Et surtout, surtout, l'absence ! Le silence des oiseaux de mer et des parfums de la forêt. Le manque de verdure et de fraicheur. La disparition des grands cèdres, morts de soif depuis si longtemps que même leurs carcasses desséchées s'étaient évanouies dans la poussière. Il n'y avait plus ici et là que quelques buissons chétifs. Et, pourtant, Myriam s'exclama joyeusement :

— Regardez ! Regardez tout ce qui pousse ! C'est merveilleux !

On mouilla l'ancre, on mit la chaloupe à la mer, on débarqua une partie des colis et les sacs à dos. On reviendrait plus tard chercher le reste si Alex décidait de s'établir sur l'ile. Lourdement chargés, les cinq compagnons empruntèrent la route vers le grand terrain que les parents de Frank avaient acheté en communauté avec leurs amis hippies. Des hippies… une idée tellement pittoresque de nos jours !

En principe, ce n'était qu'une simple randonnée de

trente minutes pour arriver au domaine, mais la mer était montée et avait mangé une partie de la route. Ce qui en restait était encombré de débris divers, la chaussée était crevée ici et là comme si on y avait puisé de l'asphalte.

— Il n'y a plus personne qui vient ici depuis longtemps.

— Pas en voiture, en tout cas. Mais, c'est relativement près de la ville. C'est surprenant qu'il n'y ait personne.

— Ben, sans traversiers, c'est un peu compliqué de se rendre jusqu'ici. Et puis, une ile sans commerces, sans arbres, un désert qui baigne dans les marées noires, avouons que ce n'est pas trop attirant.

— Moi, je pense qu'il y a des gens qui vivent toujours ici. Regardez la chaussée. Quelqu'un s'est servi récemment. Je suis certaine qu'on nous observe à partir des collines. Je sens des yeux dans l'air.

— Des ermites. Il y a probablement un tas d'ermites sur Saturna ! Tu seras en bonne compagnie, Alex.

— *Ne nous énervons pas. Tu SERAIS en bonne compagnie. Tu SERAIS.*

Alex haussa les épaules. Il en avait marre d'être le gentil Alex. Et il était rudement content de ne plus se trouver sur ce fichu bateau qui tanguait. Avec l'incessant piaillement de ces oiseaux au regard imbécile. À proximité de couples qui pensaient avoir découvert le sens de la vie, juste parce qu'ils étaient amoureux. Cela lui donnait envie de se faire ermite insulaire simplement pour ne pas avoir à reprendre le voilier en leur compagnie.

Il avait hâte, tellement hâte d'en finir. Et de pouvoir enfin intégrer son enclos.

***

On arriva à la limite du domaine et les amis firent une pause pour piqueniquer dans un terrain vague hérissé de cailloux. Frank affirma que cet endroit avait été une charmante petite prairie. C'était difficile à imaginer mais, qu'importe, tout le monde était content de s'assoir et d'écouter le clapotement des vagues sur la rive située de l'autre côté de la route.

Frank essaya la pompe. D'abord timidement, puis furieusement. Sans succès. Il ne réussit qu'à faire chanter de nouveau les perruches au son des grincements rouillés. Julie-Anne l'observait.

— Je ne sais pas pourquoi tu t'obstines. Les nappes aquifères sont certainement à sec. S'il y avait de l'eau, il y aurait bien longtemps que Watercorp se serait implanté ici.

— Ouais. C'est peut-être un mal pour un bien. Mais, mes parents eux, ils n'avaient pas l'eau courante de toute façon. Ils avaient installé un système de collection de pluie.

— Peut-être que leur réservoir a survécu. Ça serait pratique si Alex décide de s'établir ici. Il est où Alex, au fait ?

— Sur la plage. Je crois qu'il trouve les perruches énervantes. C'est illégal, la collection d'eau de pluie.

— Ben, voyons donc !

— Voyons donc, quoi ?

— Il adore les perruches.

\*\*\*

Frank marchait à l'avant. Il les avait prévenus : ce ne serait pas une randonnée facile. Alors que les copropriétaires de cet immense terrain avaient pour la plupart fait construire des chalets le plus près possible de la mer, son père et sa mère avaient plutôt choisi de bâtir une cabine sommaire, tout en haut de la montagne. Là où il n'y avait ni eau courante ni électricité.

Ils y avaient créé un merveilleux camping où tout acte de la vie quotidienne se transformait en jeu : se laver à l'aide de la douche solaire, faire la cuisine dehors, cueillir des baies pour le dessert. Ses parents étaient des êtres éminemment sociables et ils donnaient régulièrement des fêtes auxquelles étaient tous conviés les voisins qui voulaient bien emprunter l'horrible chemin cahoteux menant au chalet. Les étés de Frank avaient été une succession de parties au sommet d'une montagne, de baignades sur la plage, de danse, de musique, de promenades en forêt et de repas collectifs. Depuis, l'île avait été ravagée par une série d'incendies qui y avaient voyagé de façon capricieuse et aléatoire.

Malgré tout, Frank put s'orienter. Ils circulaient dans les décombres de ses souvenirs d'enfance entre les chalets calcinés, les maisons épargnées aux fenêtres crevées, les forêts de troncs allumettes, les collines d'herbe drue, les poteaux électriques à la renverse.

Une pieuvre à l'estomac, Frank mènerait ses amis au sommet de la montagne. Il renonça par contre à partager avec eux la beauté innocente qu'avait eue l'ile. Il ne possédait pas les mots.

***

Au-delà de la désolation, Julie-Anne reconnut les étés de Frank. Ils montaient vers elle en bouffées d'images et de sensations. Le souffle court, le dos courbé, elle les accueillait au cœur de son imaginaire en espérant qu'elles y demeureraient. Plus tard, elle les attraperait avec un filet de soie. Elle les aplatirait entre deux feuilles de papier, entre deux dictionnaires anciens.

Même une fois séchés, les étés conserveraient leurs tendres couleurs. Un jour, elle ferait cadeau de cet herbier imaginaire à Frank.

***

Balwinder avait un jour affirmé qu'il suivrait Myriam au bout du monde, et c'était finalement exactement là qu'il se retrouvait. Au bout du monde.

Sur une planète desséchée.

Dans une forêt en gribouillis au fusain.

Au milieu d'un décor sépia et ocre.

Sous un âpre soleil.

La cage se faisait de plus en plus lourde et encombrante. Il lui était difficile d'enjamber les troncs couchés sur le chemin de terre escarpé tout en le tenant à bout de bras afin de ménager ses oiseaux. Il avait mal à l'épaule, mal au dos, mal à comprendre. Il fut soulagé lorsque la route prit un tournant et qu'ils quittèrent tous la lumière brulante pour se retrouver au nord de la montagne. La chaleur fit place à une lourdeur suffocante. Les perruches se turent. Les troncs d'arbres s'étaient resserrés les uns contre les autres. Ils formaient une clôture entre lui et tout ce qu'il avait connu jusqu'alors.

Il se tourna vers Myriam. Elle était loin derrière.

Mais qu'est-ce qu'elle faisait, agenouillée ainsi ?

\*\*\*

Myriam pouvait à peine contenir son enthousiasme. Seul l'air de concentration morose de ses compagnons l'empêchait de sauter de joie. Alors qu'elle aurait pu passer des heures à explorer les abords de la route, ses amis étaient tendus vers un but unique : l'arrivée au sommet. Mais, ce faisant, comment pouvaient-ils ignorer l'immortelle d'argent qui s'était faufilée entre deux roches, les nouvelles pousses de pissenlit, les petits sapins de Douglas, et surtout les crottins de chèvre ! Il y avait de la vie ! Il y avait des chèvres !

Parfois, Myriam jetait ses bagages au sol, afin de pouvoir s'accroupir devant un brin d'herbe ou un champignon. Elle baissait la tête et cherchait à en recueillir le parfum. « On aura le temps plus tard », lui criait Frank. « On veut arriver avant le coucher du soleil. » Alors, elle se relevait, remettait à grand-peine son sac à dos et trottait comme un mulet, à la file de ses amis.

***

Bon, autant en finir au plus vite. Alex accéléra le pas, dépassa Frank. Comme un capitaine de marathon près de la ligne d'arrivée, celui-ci l'encouragea : « On y est presque. Tu montes cette pente. Tu tournes à gauche et tu y es. » Frank ajouta : « J'espère que la cabine y sera aussi. »

Alex n'avait qu'une seule envie. Se débarrasser de ses bagages, trouver sa bouteille d'eau et boire. Il grimpa la colline à toute vitesse, vira à gauche, s'immobilisa.

Ébloui d'espace.

D'océan à n'en plus finir.

D'îles étales.

D'horizon.

De montagnes.

Et, sous le soleil miel de fin d'après-midi, entourée des nappes d'épilobes mauves, une petite cabine de cèdre rayonnait paisiblement.

***

Frank retrouva facilement la clé cachée sous le chalet. Sa famille arrivait souvent très tard sur l'ile et les gestes pour ouvrir le campement avaient invariablement suivi un même rituel. Il les accomplit automatiquement et vérifia les réservoirs du système de collecte de pluie. Ils étaient toujours intacts et tous bien remplis. Il y avait là assez d'eau pour tenir des mois si on faisait preuve de frugalité.

Il ouvrit la porte de la petite cabine. Le matelas, le pupitre, l'étagère, le jeu de cartes, le poêle à bois, les lucarnes, tout était demeuré en assez bon état. Par contre, à l'extérieur, il y avait longtemps que le toit de tôle de la cuisine de plein air s'était écroulé. Myriam et Balwinder entreprirent de tout réorganiser et d'installer le réchaud à gaz, pendant que Frank montrait à Julie-Anne comment monter une tente. Alex se tenait debout au bord de la falaise et il buvait en silence la touchante beauté de ce début de soirée.

Julie-Anne repéra un rond de pierres noircies.

— J'aimerais bien qu'on allume un feu de camp. C'est possible ?

— Il fait encore clair et quelqu'un pourrait apercevoir la fumée. On ne sait pas si on est seuls ou pas, fit remarquer Myriam.

Frank était d'accord :

— Ce soir, je préfère qu'on demeure discrets et qu'on fasse un piquenique. Mais je crois que j'ai quelque part une bonne, une TRÈS bonne bouteille.

Sous le regard perplexe de ses amis, Frank s'empara d'une pelle trouvée dans le cabanon et se mit à creuser ici et là.

— Mais, qu'est-ce que tu cherches ?

— Mon père avait l'habitude d'enterrer des bouteilles. Il adorait le vin et, souvent, vers la fin de la soirée, il en sortait une. Je l'ai vu faire ça des centaines de fois parce que c'était toujours la fête avec mes parents. J'ai l'impression que, sous les arbres, il y a une cave à vin ! Finalement, mon père, c'était un écureuil tout à fait extraordinaire !

Frank eut une pensée pour son père, son gros papa affable, son hippie de père mort en prison. Il avait été un idéaliste courageux.

Tout le monde s'assit autour d'un feu de camp imaginaire et Frank produisit fièrement deux bouteilles de vin empoussiérées.

— En souvenir de mon père, je vais prendre un verre avec vous ce soir.

Alex intervint à haute voix :

— Je pensais que tu ne buvais plus. « Plus jamais » sont les mots que tu as utilisés un jour. Ou plutôt une nuit, si je me souviens bien.

— Tu as raison. J'ai pas bu d'alcool depuis l'adolescence. Je sais pas exactement pourquoi, mais je sens que ça ira. Je ferai plus d'abus. Peut-être que j'avais tout simplement besoin de revenir ici.

Alex annonça qu'il allait lui aussi déroger à ses règles.

— Je veux boire à notre amitié. C'est une dernière récréation que je m'accorde. Et cette fois-ci, c'est vraiment la dernière.

Julie-Anne et Frank échangèrent un regard. Allait-il rester après tout ?

Ils partagèrent quelques verres de vin en bavardant. Du grand tout et de petits riens. Là-bas, les iles et l'océan se recouvraient de roses et d'ors; puis de bleus, d'étoiles et de nuit.

Quand il fit tout à fait noir, Myriam alluma sa lanterne. Les perruches dormaient déjà, tout en haut de leur cage. Julie-Anne et Frank se dirigèrent vers leur tente, main dans la main.

Alex tenait à rester tout près du bord de la falaise. Sur un matelas de fortune, en camping entre ciel et mer, il repassa la journée dans les plus infimes détails. Du départ sur l'océan polychrome, à la lueur de la lanterne sur les oiseaux assoupis.

Il ne parvenait pas à s'endormir. Il imaginait trop bien Myriam et Balwinder ensemble dans le lit sous les lucarnes. Leurs longs cheveux, leurs bras et leurs cœurs entrelacés. Un peigne de bois sur le rebord de la fenêtre.

*\*\**

Le lendemain, ils explorèrent la propriété de long en large. Les quelques chalets qui tenaient toujours avaient été pillés et ils y trouvèrent très peu d'outils ou autres objets utiles, sinon quelques hamacs en bon état. Ils ne rencontrèrent personne et en conclurent qu'ils étaient seuls, du moins sur cette terre de quatre-cents acres.

De retour au campement, Frank annonça joyeusement qu'on pourrait donc faire un feu de bois... et des hotdogs ! Dans l'obscurité, personne ne pourrait distinguer la fumée et ils étaient trop loin des autres ermites, si ermites il y avait, pour que l'odeur se rende jusqu'à eux.

Après le souper, on installa les hamacs entre les troncs de grands conifères qui avaient été épargnés par les incendies. Les cinq compagnons s'assoupirent en bavardant et en se balançant. À la noirceur, tout était comme avant : la brise, les nuages, les étoiles, la lune et la lueur des braises d'un feu de camp bien sage qui s'éteint tout tranquillement.

***

Les autres étaient partis en excursion, mais Frank avait préféré rester seul au campement. Saturna avait maintenant pour lui l'atmosphère d'un village fantôme et il n'avait pas envie de confronter tous ces « n'existent plus ». Ici près du chalet, il reconnaissait toujours une certaine tendresse dans l'air et la lumière.

Il entreprit de débroussailler le terrain autour de la cabine. Soudain, son râteau heurta un monticule rigide. Intrigué, il se pencha et balaya les branches et les feuilles mortes qui recouvraient l'objet. Un dôme grisâtre ? Son four à pizza ! Comment avait-il pu l'oublier ? À l'âge de seize ans, il avait éprouvé une telle fierté d'avoir su confectionner une chose utile et fonctionnelle, de ses propres mains. Et ceci avec des matériaux tout simples comme la brique, la paille, l'argile, des pierres et un peu de ciment.

Frank s'accroupit et posa la main sur la coupole du four, comme sur le dos d'un chien fidèle. Sa petite amie, Sarah… tiens, il y avait longtemps qu'il n'avait pensé à la gentille Sarah… leurs recherches sur internet… la recette de pâte… leur essai : cette première pizza qu'ils avaient dévorée à pleines mains, sans même prendre le temps de s'assoir… le souper communautaire auquel ils avaient convié tous leurs amis… la *rave* que ses parents lui avaient permis de donner. Ce qu'ils avaient pu danser cette nuit-là en haut de la montagne ! Oui, ce fut l'été de la pizza !

Les souvenirs émanaient du four éteint et Frank sourit. Il venait de se rappeler autre chose… Mais où était-elle cachée ?

\*\*\*

Tout comme son père, Frank avait enterré une surprise pour le futur : une grande boite de métal étanche. Il mit près d'une heure à la retrouver, au pied d'une épinette qui n'existait plus. Le cœur à cent kilomètres à l'heure, il la retira du sol, épousseta et souleva le couvercle… Joie ! Tout, oui tout y était ! La farine, la levure, l'origan sec, les boites de sauce tomate, d'olives, de champignons, de cœur d'artichaut… Un festin en herbe qu'il avait enterré en prévision du retour au printemps suivant, alors que sa famille fermait le campement. Sans savoir.

Frank se mit immédiatement au travail. Il passa le reste de l'après-midi à ramasser des brindilles, allumer le feu, faire chauffer le four. Il pétrit la pâte, la couvrit d'un linge humide et la laissa au soleil en espérant que la levure soit toujours efficace. Une heure plus tard, la pâte avait doublé de volume, le fromage était râpé, toutes les conserves ouvertes et Frank se retroussait les manches. Il allait créer quelque chose d'absolument merveilleux !

Lorsque Balwinder, Myriam, Alex et Julie-Anne apparurent au détour du chemin, il les surprit avec des pizzas odorantes aux coins brulés juste comme il le faut. On les dégusta en silence. Ça goutait le feu et la mer, les tomates ensoleillées.

Myriam tendait l'oreille vers le crépuscule, à l'affut du chant des insectes. Elle affirma qu'ils revenaient ou reviendraient peu à peu. Pour sa part, Alex se disait que ça ne faisait strictement rien que les criquets réapparaissent ou pas, qu'une nouvelle calamité écologique, politique ou autre s'apprêtait probablement à leur tomber dessus. Comme des hordes de sauterelles à catastrophes.

Alors, à quoi bon ? À quoi bon même prendre la parole ?

*** 

Il fallait tout de même qu'il leur dise. Il allait décevoir Frank : ses rêves d'ermite en pamoison dans la nature. Personne ne comprendrait, bien entendu. Il se leva et alla contempler le soleil qui se couchait sur la mer.

— Tu as décidé de ne pas rester, n'est-ce pas Alex ?

Myriam se trouvait à ses côtés.

— *Oui. Comment le sais-tu ?*

— Tu te comportes en visiteur. Tu es content d'être ici...
mais tu es de passage.

— *« De passage », c'est tout à fait cela. Tu as raison.*

— Mais, pourquoi ?

— *J'ai abdiqué, Myriam. J'ai abdiqué de tout.*

— Tu ne m'as jamais expliqué pourquoi tu es
devenu ermite.

— *Je viens de le faire.*

Myriam n'entendit pas. Elle était distraite par le futur.

— Tu es absolument certain que tu ne veux pas rester ?
Parce que Balwinder et...

Mais, Alex tenait à terminer sa pensée. Depuis le temps
qu'elle lui posait la même question. Il insista :

— *Je ne suis pas celui que vous imaginez. Vous m'avez
idéalisé mais, en réalité, je suis le lâche de cette histoire.*

Myriam ne porta aucune attention à ce qu'il disait.
Elle lui tournait déjà le dos. Elle retournait vers le feu. Sa
chevelure noire et brillante descendait sagement sur ses
épaules. Alex ne pouvait voir son visage, mais imagina son
sourire. Cela lui rappela vaguement quelque chose.

\*\*\*

Alex demeura sur place. Devant lui il y avait la tombée du jour ; derrière, il y avait le feu et ses étincelles. Tout comme ce soir-là, le soir de la fête à la librairie, des morceaux de conversations voyageaient vers lui.

— Alex a pris une décision.

Alex fixait l'horizon. Il crut apercevoir de la fumée sur une des îles.

— Il ne veut pas vivre ici ?

Non, et puis non, ce n'était pas de la fumée. Juste un peu de brouillard.

— Oh et puis merde, simplement : Balwinder et moi aimerions prendre sa place.

— Mais, il n'y a RIEN ici !

— Au contraire. Pour nous, TOUT est ici. Est-ce que tu nous permets de rester ?

Alex prit une grande respiration. Ça sentait bon sur cette falaise tout de même.

— Nous avons apporté tout ce qu'il nous faut. Même les perruches et le tambour. Au cas où… Nous prendrons bien soin de ta petite maison. Nous planterons des arbres. Lorsque tu reviendras, je te promets qu'il y aura ici une nouvelle forêt.

Alex pressentit ce que dirait Balwinder.

— Une forêt… un potager, des jardins et des enfants qui jouent dedans.

***

152

Frank coupa le moteur.

— Je t'attends ici. Ensuite, j'irai te reconduire à ton nouvel appartement.

Il évita de regarder Alex qui se dirigeait vers la porte des employés. Il s'appuya sur la moto, le visage tourné vers l'autoroute, et fut saisi d'une furieuse envie de griller une cigarette... même s'il n'avait jamais vraiment fumé. Il sortit son téléphone pour jouer au tictactoe.

Escorté par un drone affichant le logo d'une boisson énergisante, Alex descendit les trois marches qui conduisaient vers la porte de métal. Il se nomma et on le laissa entrer. Il faisait maintenant face à un guichet où un employé vérifia longuement ses coordonnées informatiques avant de le faire passer dans la salle d'attente.

Un garde était assis au comptoir, sous l'inévitable écran géant où les dernières nouvelles tournaient en boucle. Rapports financiers, conflits, démolitions, gens qui faisaient la queue pour se procurer un nouveau chouette machin-truc, orateurs à cravates, zèbres ayant mis bas dans un zoo au Mexique, chatons qui chassaient des mouches, décrets, soldats. Les politiciens et les consommateurs étaient roses et blancs. Les guerres et les expropriations avaient la peau foncée et les yeux tristes. Rien n'avait changé depuis son départ de la banque.

— Vous êtes bien Alexandre Tremblay ? Je vous attendais. Bon. Suivez-moi.

Alexandre s'engagea à la suite d'un individu à l'aspect tellement ordinaire qu'il n'aurait même pas pu le décrire alors qu'il se tenait devant lui deux secondes auparavant. L'homme l'emmena dans son bureau.

— J'ai vérifié votre dossier et tout est en ordre. Ou presque. Vous n'avez jamais remis vos documents au Bureau des Citoyens à la suite de votre dernier emploi. Il y a une amende pour cela, vous savez. Assez salée, merci. Mais, c'est pour votre bien, notre bien collectif. C'est une question de sécurité, vous comprenez. Ce sera déduit de votre salaire. Bon. Ah, je vois que vous vivrez au campement là-bas.

L'homme releva brusquement la tête pour considérer Alex un moment. Puis, il retourna vers l'écran.

— Le loyer sera bien entendu déduit directement de votre salaire. De même que les provisions que vous achèterez dans le magasin du complexe. Praticopratique, n'est-ce pas ? Bon. Si vous voulez, vous prendrez la navette avec les femmes de ménage de nuit. Cela sera déduit de votre salaire.

Alex laissa paraître sa surprise.

— Vous ne vous imaginiez quand même pas que vous auriez le transport gratuit ? Mais, il n'y a pas de frais pour les uniformes. Haha !

L'individu se leva et quitta la pièce. La caméra montée sur le mur s'étira le cou pour mieux observer Alex qui se contenta d'examiner le plancher. Il était beige. L'homme revint avec un sac qu'il tendit à Alex. L'uniforme était beige aussi. Pas rouge. Alex poussa un soupir de soulagement.

— Bon, alors, vous commencez demain soir. Vous travaillerez en équipe avec Carlos, il y a littéralement des kilomètres de corridors à surveiller, vous savez. Mais, vous n'êtes pas seuls. Il y a des caméras surdouées, des mini-drones et, puis, vous. Nous sommes une organisation gigantesque ! Bon. Ah, oui... Nous venons de mettre en place un nouveau système informatique. Les données biométriques, ça ne fonctionnait pas trop pour nous. Alors, voilà. J'espère que cela ne vous dérange pas, mais on va vous injecter une puce électronique. Une toute petite puce. MI – NUS — CU — LE. Grâce à elle, on peut tenir compte de vos déplacements, s'assurer que vous faites bien votre travail. Ça vous permet aussi d'accéder au bâtiment, à l'ascenseur, aux toilettes, uniquement pendant les pauses, bien entendu. C'est un tout nouveau prototype et votre collaboration nous sera très précieuse. Hé oui ! on doit le tester avant de pouvoir obtenir un brevet. Mais ça va passer, c'est certain. Tout ce qu'on a fait finalement, c'est d'améliorer les puces que certains propriétaires installaient sur leurs chats et leurs chiens pour pouvoir les retrouver s'ils se perdaient. On a déjà plus de commandes qu'on peut fournir et ce n'est même pas encore sur le marché. La puce, c'est le futur en matière de gestion des ressources humaines ! Une révolution ! Bon alors, je vous amène à la pharmacie. Vous ne sentirez rien, je vous promets.

\*\*\*

Il avait été compliqué de trouver l'accès au complexe d'habitation, car il était situé au milieu d'un dédale de bretelles et de jonctions à autoroutes. Frank considéra avec stupeur les tours sans fenêtres, crevassées et couvertes de crasse.

— Alex. Tu es sûr que tu veux rester ici ? On est même pas entrés et c'est déjà horrible.

— Oui. Oui. C'est simplement un endroit pour dormir.

— Non, je te laisse pas ici.

— Frank. Je t'ai dit de t'en aller.

— Mais, ça a pas de bon sens ! À quoi tu penses ? T'aurais pu rester avec Myriam et Balwinder sur Saturna. J'ai encore le bateau, il est pas trop tard. On va trouver autre chose.

— Frank. Merci de vouloir m'aider, mais non. J'ai fait mes choix.

— S'il te plait, Alex ! S'il te plait ! Reste pas ici. Cet endroit me fait *freaker* !

— Ah ! Va-t'en, Frank ! Tu ne comprends rien ! Ça fait neuf mois que je te le demande. Pars. Laisse-moi tout seul.

Jamais une motocyclette qui s'éloigne n'avait grondé si tristement.

*\*\*\**

L'homme qui se tenait devant Alex avait presque toutes les dents cariées. Tout l'édifice semblait carié de fait.

— C'est toi, notre nouveau locataire ?

— Alexandre Tremblay, oui, c'est moi.

— Et bien, mon gars, tu dois vraiment être mal pris pour louer ici.

156

— C'est proche de mon travail.

— OK. Je vais te montrer le studio. Ça, c'est votre entrée à vous, les payants. Comme ça, vous avez pas besoin de vous mêler aux résidents. Ici, on a six logements payants, mais tu es le seul locataire pour le moment. Avec moi. Moi, je suis au troisième. Je t'ai mis au rez-de-chaussée. C'est moi qui décide. De toute façon, ça fait aucune différence. Ils t'ont mis une puce, hein ? Maudite affaire. Moi aussi, j'en ai une. Mais c'est pratique : ça veut dire que t'as même pas besoin de clé. Regarde, la porte s'ouvre quand tu te tiens devant.

L'appartement était très semblable à celui de la rue Broadway, mais il n'y avait pas de fenêtres. Évidemment, c'était préférable, avec deux branches d'autoroute de part et d'autre du complexe.

— Voici l'interrupteur. Tu peux contrôler tes lumières toi-même.

— C'est normal, non ?

— Non. Pas ici. Y'a rien de normal ici. Ici, c'est nous, les gardes, qui contrôlent. C'est moi. Moi qui fais le jour et la nuit, moi qui décide quand ils ont le droit d'avoir de la lumière ! Quand ils doivent aller se coucher. *Envoye ! Au lit, petite garce ! Arrête de me regarder comme ça.* Alors que personne vienne m'écœurer.

Pour la première fois depuis des mois, Alex aurait voulu exprimer une opinion, mais le personnage qui se tenait devant lui était tellement grossier qu'il en restait muet de stupéfaction. Le gars, qui ne s'était finalement pas présenté et qu'il décida d'appeler *Martin Pamalin*, lui expliquait maintenant comment les choses fonctionnaient pour les autres résidents.

— Y'en a qui peuvent travailler. Pis, ça leur fait un peu d'argent. Comme ça, éventuellement y pourront peut-être payer leur dette.

— Leur dette ?

— Leur dette envers la société, envers nous. Pis peut-être qu'ils pourront être embauchés à quelque part et recommencer à neuf. En tout cas, c'est ça, l'idée.

— C'est une bonne idée.

— Ouais, en principe. Mais c'est une gang de trous de culs. Qui font rien. Même ceux qui travaillent, y préfèrent s'acheter des bébelles avec leur argent. Plutôt que de l'économiser. Hostie de gang.

Alex crut bon de changer le sujet de conversation.

— Ah oui ! c'est vrai, il y a un magasin. Justement, j'ai besoin de faire l'épicerie. D'acheter de l'eau.

— L'eau du robinet est correcte. Tu peux la boire. C'est inclus. C'est déduit directement de ton compte en banque, pas même besoin de t'en occuper. Le gros luxe, je te dis.

— Ah, bon. Mais j'ai besoin de nourriture. Vous voulez me montrer où est l'épicerie ?

— Ouais, c'est vrai, ça. La nourriture de la cafétéria est pas mangeable. Est grise pis a pue, comme ça, ils mangent moins. On dirait un mélange de vieux chou et de *cool-aid*. On sait même pas ce que c'est. Ben, c'est gratuit. Il faut pas s'attendre à des repas cinq étoiles, hein ? Moi, je mange pas là. Même si on a le droit. Je fais juste les regarder. Je trouve ça drôle de les voir se bourrer la fraise de gibelotte. Je sais pas pourquoi, mais ça me fait rire.

Alex chercha de nouveau à réorienter la conversation.

— Et le magasin ?

C'était un dépanneur plutôt qu'une épicerie. Alex paniqua littéralement à la vue des tablettes de chocolat, sacs de croustilles, boissons gazeuses, petits gâteaux enveloppés de cellophane, soupes et nouilles en sachet qui s'étalaient devant lui. Pour ceux qui préféraient un repas chaud, des boulettes de viande blafardes et monstrueuses étaient tristement alignées sur un présentoir chauffant. Le moine Alex en oublia ses vœux.

— Est-ce qu'il y a quelque part où je pourrais aller à pied pour faire l'épicerie ? Moi, je mange pas vraiment de ces choses-là.

— Ah bon. Monsieur est trop fier pour manger comme nous autres ? Ici, c'est ça que le monde aime manger.

Le ton de Martin Pamalin avait monté d'un cran. Alex se fit apaisant.

— Non, non, c'est pas ça. Mais j'ai des allergies. J'aime beaucoup les chips et les gâteaux, mais, si j'en mange, je suis malade.

— Ah ! Une petite nature ! OK. Non, il y a pas vraiment d'endroit où tu pourrais marcher.

— Mais il y a des centres commerciaux, non ?

— C'est à au moins une heure à pied. Mais, moi, je peux t'aider. Moi, j'ai un char. En fait, je peux te procurer n'importe quoi... (clin d'œil) si tu vois ce que je veux dire. Tu me donneras ta liste d'épicerie. Il faut que je charge par exemple. Je charge vingt pour cent. Ça va ?

Alex acquiesça. Non, ça n'allait pas, mais il trouverait une autre solution plus tard. En attendant, il avait incroyablement faim. Il saisit quelques articles au hasard et se dirigea vers la caisse où il put facilement payer grâce à la puce électronique qu'on lui avait implantée. Dans le fond, c'était pas mal pratique.

Tout à coup, il se souvint. N'avait-il pas choisi l'abnégation ? Et elle venait de prendre un visage tout à fait inattendu. Nouveau revirement. Renoncement insolite : il se contenterait de ce qu'il y avait ici, se nourrirait dorénavant de cochonneries, voilà tout.

Alex avait cessé d'écouter ce que lui racontait Martin Pamalin. C'était vraiment trop déprimant. Blablabla... La salle vidéo. Blablabla ... La chapelle. Blablabla... La cour intérieure pour prendre l'air. Soudain, il entendit un mot qui le fit sortir de sa rêverie.

— ... école au sous-sol. Les mères, en général, ce sont des mères, ont le droit de faire l'école aux petits. Il y a des tableaux, de la craie, des...

Malgré lui, Alex interjeta :

— Ah ! Mais, moi, j'ai déjà été prof. Je pourrais me porter volontaire peut-être.

— Ben que je te vois pas ! Ça serait vraiment pas bien vu.

— Mais, pourquoi pas ? Ça serait du bénévolat.

En prononçant ces mots, Alex se rendit compte que ça n'avait pas de sens. Comment avait-il pu oublier qu'il ne pouvait, ne voulait pas s'impliquer ? De son côté, Martin Pamalin s'était déjà lancé dans une longue diatribe.

— Ben, voyons donc ! Ce monde-là ! C'est à cause d'eux, tu sais. C'est à cause d'eux que, moi, MOI, je vis pour un petit pain. C'est de leur faute que, MOI, je vis presque dans la misère ! Ils nous ruinent. C'est rendu qu'il faut qu'on aille les chercher dans les rues puis qu'on les apporte ici de force pour prendre soin d'eux. Ils pensent que tout leur est dû. Mais j'ai des nouvelles pour eux. Il faut qu'ils apprennent comment se débrouiller tout seuls. Moi, j'en paye des taxes. Pas eux. J'en ai assez de payer des maudites taxes pour qu'eux, ils se prélassent à rien faire. Moi, je travaille. MOI, JE PAYE DES TAXES, MOI, MONSIEUR !!!

De minuscules crachats poursuivaient chacun des mots qui sortaient de sa bouche.

***

En leur absence, la librairie avait été saisie. On avait appliqué des scellés et les serrures avaient été changées.

Stupéfaction. Panique. Rage.

Julie-Anne refit le tour de l'édifice. Après avoir frappé à l'entrée principale jusqu'à ce que les clochettes se détachent et tombent, asséné des coups de pieds à la porte d'en arrière, cherché à arracher le soupirail de sa chambre avec ses ongles, elle s'assit dans les marches en colimaçon et se prit la tête entre les mains.

Frank chercha à détendre l'atmosphère.

— Et bien, toi… Tu es créative jusque dans la façon d'exprimer ta colère.

Il s'installa à ses côtés et lui passa le bras autour du cou. Elle se dégagea violemment et se leva.

— Comment est-ce que je vais récupérer mes affaires dans la chambre ? Mon ordinateur ! Et mon livre ? Mon livre, mon livre est à l'intérieur !

Elle éclata en larmes.

— Pleure pas, Julie-Anne. Oui, on a perdu tes choses, mais on va les récupérer. On va aller voir la police…

— VOIR LA POLICE ? Es-tu sérieux ? Tu penses vraiment qu'ils vont nous aider ?

— Non. Mais tu sais quoi ? En fait, je suis encore plus inquiet au sujet de Viateur. Qu'est-ce qui est arrivé à Viateur dans tout ça ?

— Je sais ! Je sais ! J'ai rappelé partout et personne ne sait de qui je parle. Maudit ! Il est où Viateur ? Où est mon roman ?

— Viateur est quand même plus important que ton rom…

— Tu ne comprends rien ! Il faut vraiment tout te dire ! Tu n'as aucun pouvoir d'imagination ! Alors, voilà. Je me suis inscrite au collège parce que, tant que j'étudiais, on me donnait de quoi vivre. J'ai découvert que j'aimais la littérature et la philosophie. Mais on les a éliminés. Évidemment. Je vivais pour ça. Il restait seulement des cours de bizness ou de préposée aux malades et je n'avais aucun talent dans ces domaines-là. J'ai abandonné l'école. On m'a coupé les vivres.

— Mais t'avais droit à l'assistance sociale, non ? Ça dit dans les annonces qu'ils aident les enfants qui quittent les foyers d'accueil à...

— Ah oui ? Tu crois les publicités du gouvernement, toi ? J'avais droit à l'assistance, mais je n'ai jamais pu comprendre comment remplir les formulaires. C'était tellement compliqué. Et il n'y a personne pour t'aider, surtout pas au téléphone. Que des sites web avec tellement d'information tellement mal organisée... des labyrinthes ! Finalement j'ai dû mendier, alors je me suis retrouvée en prison.

— En prison ?

— Oui, en prison ! Ils disent que c'est des refuges pour sans-abris, mais ce sont des prisons. Il y a de l'argent à faire à ramasser le pauvre monde comme des chiens et les amener là où Alex, le con d'Alex, il est parti de son plein gré. Puis, tu sais quoi ? Je l'ai porté l'uniforme rouge fluo.

— Tu as porté l'uniforme ? Toi ?

— Oui et je t'assure qu'avec ça tu ne passes pas inaperçue ! Dans les parcs où je nettoyais les toilettes, on me regardait avec dégout, avec pitié. Comme si on me blâmait d'avoir été malchanceuse. Finalement, un soir, j'ai déchiré mes vêtements avec mes dents. Je les ai jetés par petits morceaux dans les cabinets. Puis, après ça, je me suis rendue dans les toilettes pour hommes. Presque toute nue. Et là, j'ai attendu que quelqu'un vienne me chercher. N'importe quoi serait mieux que de vivre en esclave sans pouvoir rien acheter ni jamais ne m'en sortir, parce que je devais plein d'argent à Sécuricorpo.

— Qu'est-ce qui est arrivé ?

— Viateur est arrivé. Il m'a prêté son manteau. Il m'a amené à la Librairie des Insomniaques. Il m'a trouvé un nouveau nom, une carte d'identité. Une raison d'être. Sans lui, je ne vaux rien. Je suis son personnage.

— Julie-Anne, arrête. T'es pas le personnage de Viateur. Tu le sais bien. J'avais aucune idée que tu avais vécu ça. C'est horrible. Pourquoi tu me l'as pas dit ?

— J'avais honte.

— Honte... oui... je comprends ça.

Silence

— Mais t'as pas tout perdu.

— Ah oui ? Qu'est-ce que c'est que je n'ai pas perdu ?

— Moi. Tu m'as moi.

Au loin, on entendait le bruit des sirènes, le grondement des voitures, les drones, la vie quoi.

Après quelques minutes, Frank et Julie-Anne se levèrent et s'approchèrent de la vitrine pour y coller leurs visages, les mains en coupes de chaque côté. Ils plissèrent les yeux afin de voir ce qui restait à l'intérieur. Tous les livres avaient disparu. Plus un meuble, plus une lampe, plus une carpette. Le vide. Et, pourtant, il régnait une impression de désordre total.

— Regarde.

Julie-Anne désignait le plafond du doigt.

— Quoi ?

— Il reste les guirlandes, les drôles de guirlandes que Viateur avait fabriquées pour la fête de la lune bleue. Il y a des mots dessus. Il n'avait pas voulu qu'on les enlève, tu te souviens ?

— Ah oui.

Silence.

— Je disais donc... Tu m'as, moi. Parce que je suis pas fou. Je sais bien que c'est moi qui suis ton personnage.

Frank pointa vers la moto.

— Tu sais, dans le coffre, il y a tout l'équipement de camping qu'on avait apporté sur Saturna.

— Tu veux qu'on parte ? Mais, mon roman ? Ton travail ?

Frank appuya la main sur le front de Julie-Anne.

— Ton roman, il est là. En sécurité. Avec ta mère. Et mon travail ? Je sais bien qu'il existera plus longtemps. On n'arrête pas le progrès, haha. De toute façon, tu peux nous écrire un meilleur futur.

— Je vais essayer. Mais ce n'est pas facile. Au fait, où est-ce qu'on va ?

— À la recherche de Viateur.

— Tu sais que Viateur, en fin de compte, c'est un chat ?

— Qu'est-ce que tu racontes ?

— Frank ! Je n'en reviens pas que tu aies manqué ça. Tu as vraiment raté tous les indices.

— Quels indices ?

— J'ai donné un livre à Balwinder qui portait le titre *En réalité le libraire est un chat*, Viateur a des vibrisses, il a les yeux vert pâle, il fait la sieste, roulé en boule, il voit parfaitement dans le noir... je continue ?

— Wow ! C'est vrai ce que tu dis. En plus de ça, je me souviens : Balwinder m'a dit que, quand il a rencontré Viateur, il avait ressenti une inexplicable envie de le caresser. Mon dieu, tu as raison : Viateur EST un chat !

Ils se dirigèrent vers la moto. Julie-Anne s'immobilisa.

— Le monde va nous poser des questions. Ils vont nous demander ce qu'on fait sur la route.

— Oui. Et tu sais ce qu'on va leur répondre ?

— On va dire qu'on cherche notre chat.

— On l'aime tellement, notre chat.

— Oui. C'est un merveilleux chat gris-douceur.

— Un félin qui peut changer de forme, à son gré.

— C'est pour ça qu'il est beau.

— On ferait vraiment tout pour le retrouver.

— Et on va le retrouver.

— Oui on va le retrouver.

— Parce qu'il nous attend.

— Au bout du monde !

Julie-Anne entreprit de se coiffer du casque, mais Frank l'arrêta.

— Pas si vite... Et les livres qui apparaissaient mystérieusement dans la librairie ?

— Quoi, les livres ?

— Fais pas l'innocente. Il faut que tu me dises qui les mettait là et pourquoi. Ça me chicote depuis trop longtemps.

— Ah non, Frank ! Essaie de trouver toi-même.

— Bon. Ça pourrait être le barbichu qui jouait au yoyo. Ça pourrait être le gros qui dansait avec la fille pognée. Ça pourrait être Viateur, ou toi, ou Myriam ? C'est qui ?

— Est-ce que ça a vraiment de l'importance ? Tu ne penses pas qu'il faut laisser quelque chose à imaginer ? Tu ne crois pas que les questions sont parfois plus importantes que les réponses ?

Que répondre à cela, justement ?

Ils enjambèrent la motocyclette.

Frank démarra.

Julie-Anne l'enlaça.

Et il n'y eut plus de ville sale, plus de gens vides, plus de soldats tristes, plus de cheminées brunes, plus de cravates serrées, plus de tout cela. Que l'anarchie.

Sur la selle, sur la route, en ce pays ou ailleurs, il n'y aurait dorénavant qu'eux avec leur amour parfaitement fragile, un passé révolu, le plein présent, le camping sauvage, un chat perdu.

Et un paysage totalement inconnu.

***

Dehors, il faisait tempête. Balwinder serrait Myriam dans ses bras. Il lui caressa le ventre et la sentit sourire dans son sommeil.

Il y eut quelques éclairs. La cabine s'illumina et puis s'obscurcit.

Balwinder ouvrit et referma les yeux. Il se tourna vers l'intérieur. Discerna un objet qui flottait dans un liquide clair. Qu'est-ce que ça pouvait bien être ? Il se concentra et reconnut finalement… son âme. Son âme ! Et elle était exactement comme il l'avait imaginée lorsqu'il était enfant : un osselet blanc à trois branches, parsemé de paillettes d'argent qui brasillaient.

Il y eut de nouveaux éclairs. La cabine s'illumina et, puis, elle s'obscurcit.

Comme un cœur qui bat. L'âme scintillait toujours.

***

Alexandre avait oublié : pas de trottoir, évidemment, à côté des autoroutes. Il dut donc se déplacer tantôt dans un terreplein, tantôt dans l'herbe grisâtre, tantôt dans un fossé où s'amassaient sacs de plastique, mégots et canettes. Les poids lourds passaient en faisant trembler le sol. Des débris et de petits cailloux l'atteignaient parfois, il dut se couvrir le visage. À l'avenir, il résolut de prendre la navette pour se rendre au travail. Au diable l'exercice !

La porte des employés s'ouvrit automatiquement à son arrivée. Le préposé leva à peine la tête pour le saluer, mais son collègue Carlos vint immédiatement l'accueillir et lui expliqua en quoi consisterait leur travail. À tour de rôle, ils surveilleraient des écrans à partir du bureau central et ils iraient faire une ronde. Qu'est-ce qui tramait exactement dans l'édifice ? Carlos n'en savait rien et, en fin de compte, il s'en fichait. Ce n'était qu'un boulot. Ils n'avaient rien à voir avec tout cela. Tout comme ils n'avaient rien à voir avec ce qui se déroulait sur tous les écrans du monde. Alex était bien d'accord.

Carlos fit la première ronde. Alexandre passa quelques heures, debout comme il se doit, à surveiller les moniteurs. Il ne s'y passait strictement rien sinon que des silhouettes rouges faisaient le ménage ici et là, suivies de près par des drones comme par des mouches noires. Il se mit à espérer qu'une souris, une mite ou un météore traverse le champ d'une caméra. En vain. Lorsque Carlos réapparut finalement, Alexandre crut pour un moment qu'il se trouvait sur un des moniteurs. Puis il se rendit compte qu'il s'agissait du vrai Carlos, en chair et en os.

C'était maintenant à lui de patrouiller. Alexandre
exécuta une fois le tour complet de l'édifice. L'homogénéité
des corridors et des étages était telle qu'il eut l'impression
de faire du surplace. Seules les odeurs variaient. Ici, ça
sentait un peu la colle, puis les pommes aigres, le vomi,
l'urine séchée, le poisson, un mélange de tomates et de maïs
soufflé, l'éther, le métal rouillé et un produit chimique tout
à fait inconnu. À force de circuler d'étage en étage dans
des couloirs tous semblables les uns aux autres, Alexandre
atteignit un état d'hébétude méditatif. Il accéda finalement
au sommet de l'édifice. La configuration de ce dernier
plancher était différente : une immense cour intérieure
entourée de portes fermées.

Une fois la ronde terminée, il redescendit au rez-de-
chaussée puis recommença. Et ainsi de suite. Lorsqu'il
en arriva à sa quatrième inspection, Alexandre était déjà
habitué aux effluves qui l'avaient d'abord frappé et les
perçut à peine. Il en éprouva un certain regret, ça avait
cassé la monotonie.

Ne restait plus que le dernier étage. Ensuite, il pourrait
retourner au poste manger son sac de croustilles. Alexandre
sortit de l'ascenseur. Il avait vraiment faim.

Il s'arrêta pile.

Par terre, sur chacune des portes closes, était maintenant
appuyé un livre.

Il espéra du regard une caméra, un drone, un Carlos.
Rien. Il était seul. Il nota que le grondement des ventilateurs
avec cessé.